名作映画で読み解く世界史

東京大学名誉教授
本村凌二

How to read world history
in classic movies

PHP

はじめに

「教養」を身につけるには、何が必要なのでしょうか？

東京大学教養学部、早稲田大学国際教養学部などで、四十年近く教養教育に携わってきたことから、このような質問を受けることがよくあります。そうしたとき私は、「重厚な読書経験を刻みこむ古典」と「人類の経験が圧縮された世界史」によって教養は培《つちか》われる、と答えてきました。

この持論は今も変わっていません。しかし、古典の読破にそれなりのハードルがあることは事実です。かつて小林秀雄が、「何を読むといいかと聞かれると、私は一貫してトルストイがいい、特に『戦争と平和』がいいと勧めてきたが、実際に読んだ人は数えるほどしかいないのではないか」と語っていたのを読んだことがありますが、私も全く同感です。

古典は、じっくり読むことで、一生涯残る感動を得ることができますが、大作を読破するにはそれなりの時間と労力を必要とします。また、作品によっては、ある一定の人生経験を積まないとその素晴らしさが理解できないものもあります。

そこで、もっとハードルの低いもので、上質な感動体験ができるものはないかと考えていたとき、思い至ったのが「映画」だったのです。

映画は長いものでも四時間あれば見ることができます。それに、ビジュアルなので活字を追う読書よりも難易度はかなり軽減されます。事実、知り合いに映画を勧めて見てもらえた確率は、古典を勧めたときより遙かに高いのです。

もちろん、読書の中でも特に古典がいいように、映画なら何でもいいというわけではありません。私がお勧めしたいのは、素晴らしい感動体験ができる「名作映画」です。

名作映画は、いい本や古典と遜色のない、いえ、作品によっては、文字だけでは得られないビジュアルならではの感動を得られる作品もあります。

ここで知っておいていただきたいのが、読書や映画鑑賞を実りあるものにするポイントは「感動する」ことだということです。どんな古典も映画も、何も心が動かされなければ意味はありません。なぜなら、感動体験こそが、その人の人生を形作っていく原動力となるからです。

マザーテレサの言葉に、「思いに気をつけなさい、思いは言葉になります。言葉に気をつけなさい、言葉は行動になります。行動に気をつけなさい、行動は習慣になります。習慣に気をつけなさい、習慣は性格になります。性格に気をつけなさい、性格は運命になります」というものがあります。

では、何がその人の思いを作るのでしょう。私は、その人の「感動体験」だと思います。

人は感動することで、未来の自分を作り出し、同時に、過去に自分が何に感動したかを自覚することで、今の自分自身を知ることにもなるのです。

実際、ひとくちに「感動」と言っても、同じ映画を見ても人によって感動ポイントは違います。登場人物の人柄であったり、風景であったり、音楽であったり、ストーリーそのものであったり。しかし、ポイントは違っても、感動は必ずその人の心に残り、その後の人生観や価値観を変えていく力となることに変わりはありません。

ですから本書では、よくある「映画の見方」みたいなことをお伝えするつもりはありません。

私が本書で行っているのは、作品の背景となっている歴史的解説をすることで、見る人がストーリーや、登場人物の心理、行動、言動などをより深く理解する手助けだけです。

「映画」が生まれてから、すでに百年以上が経ちました。その間にたくさんの名作映画が作られています。名作映画には、学問としての歴史や、文学作品では得られない、映画ならではの良さがあります。そういう意味で、映画は、今後の教養教育の教材としても、とても重要なものになってくるのではないかと思っています。

二〇二三年十二月

本村凌二

名作映画で読み解く世界史　目次

中世

現代

古代

01 / 21

Ben-Hur

『ベン・ハー』

ベン・ハー

後世に残したい名作映画

私がまずご紹介したいのは、一九五九年公開（日本公開は一九六〇年）のウィリアム・ワイラー監督作品『ベン・ハー』です。今から六十年以上前の作品ですが、この映画を一言で評するなら、「後世に残したい一本」と言えるでしょう。

事実、この映画フィルムは、映写機とともにタイムカプセルのような地下倉庫に納められ、五千年後でも、発見した人が見ることができるように保存されているという記事を読んだことがあります。今の文明を代表する名作映画の一つだということです。

原作小説は、副題に「A Tale of the Christ／キリストの物語」とあるように、イエス・キリストの生涯が、架空の人物である主人公ジュダ・ベン・ハーの生涯と交差するように描かれている、かなりキリスト教色の強い作品となっています。

『ベン・ハー』はさまざまなクリエイターの創作意欲を刺激し、舞台やアニメーション映画、テレビドラマなど多くの作品が生み出されています。

そうした数多くの作品の中でも、ウィリアム・ワイラー監督の『ベン・ハー』は頂点に輝く作品だと私は思っています。

主役のジュダ・ベン・ハーを演じたのは、当時『十戒』（一九五六）でモーゼ役を演じ、若手俳優として人気を博していたチャールトン・ヘストン。『旧約聖書』の「出エジプト記」で、エジプトの圧政に苦しむユダヤ人を導く預言者モーゼを演じたヘストンが、『ベン・ハー』では、苦難の人生の中でキリストと出会い、その人生を大きく変えていくユダヤ貴族の青年を演じたことも大きな話題を呼びました。彼はこの映画でアメリカ映画界で最高の栄誉とも言えるアカデミー賞主演男優賞を獲得しています。

私はこの映画をもう何度見たかはっきりとは覚えていないほど繰り返し見ていますが、最初に見たのは、日本で封切られた一九六〇年。私が中学校一年生のときでした。『ベン・ハー』というすごい外国映画が上映されるということは公開前から知っていました。

製作期間六年半、制作費は約一五〇〇万ドル(当時の金額で五四億円)。今では映画製作費としては珍しくもない金額ですが、当時としては桁違いに高額な製作費でした。これほどの映画は、ハリウッドといえどもう二度と作れないのではないか、そう言われていたほどだったのです。

そんな大作なら是非とも見に行かなければ。そう思いつつ、公開してもすぐには見に行けずにいたある日のことです。クラスでちょっと気になっていた女の子が、『ベン・ハー』を見に行ったと知ったのです。

映画好きを自負していながら、その子に出遅れた悔しさと、自分も『ベン・ハー』を見れば彼女と映画の感想を語り合うチャンスができる、そんな多少の下心もあったせいか、夏休みに祖父母のいる熊本に遊びに行ったときに映画館に向かいました。

でも、映画が始まるとすぐに、そんな下心はすっかり忘れてしまいました。『ベン・ハー』の世界にすっかり魅了されてしまったのです。

ハリウッドが莫大な資金を投入して作り上げた『ベン・ハー』の古代世界は、文句なしに素晴らしいものです。細部に至るまで丁寧に作り込まれた映像は、見る者に「真実」を感じさせます。街並み、建物、人々の衣装や持ち物、それが自分が知っている世界のものとは全く違ったものであっても、目の前の大画面に繰り広げられる映像が「もう一つの現実世界」の存在を実感させてくれるからです。

こうしたよくできた映像がもたらす特殊な感覚は、映画を見る醍醐味《だいごみ》の一つです。

大迫力の戦車競走

『ベン・ハー』のクライマックス・シーンでは、大迫力の戦車競走が繰り広げられます。ジュダの乗った戦車を牽《ひ》く四頭の白馬と、メッサラの戦車を牽く四頭の漆黒の馬のコントラストは、見る者に暗黙のうちにそれぞれの騎手のキャラクターをイメージさせます。

戦車自体も、ジュダが乗るのは何の仕掛けもないシンプルなものですが、メッサラが乗る戦車は、車輪の車軸のところからギザギザの刃物が突き出ているという、攻撃的な仕掛けが施されたものになっています。

このレースシーンには全部で九台の戦車が登場します。ローマの代表がメッサラ、ユダヤの代表がジュダ、その他にアレクサンドリア、メッシナ、カルタゴ、キプロス、コリント、アテネ、フリジアといったローマ帝国が支配する各都市の民族を代表する騎手が出場し、競いあうという設定なのです。

四頭立ての戦車が九台ですから、馬の数は三六頭にも及びます。それだけの馬が巨大な楕円形のレース場を一斉に疾走するのです。しかも、この時代の映画なので、CGは使っていません。すべて本物の馬を使って撮影しているのですから、その迫力たるや凄まじいものです。

十三歳の少年だった私がこのシーンに魅了されたのは言うまでもないでしょう。

私は『馬の世界史』（講談社現代新書、二〇〇一・中公文庫、二〇一三）や『競馬の世界史』（中公新書、二〇一六）という本を書くほどの競馬好きなのですが、馬に魅了された原点は、もしかしたら『ベン・ハー』のこの戦車競走シーンだったのかもしれません。

『ベン・ハー』はローマ史の専門家になった自分が今見ても、非常にきちんとした時代考証が細部に至るまで行われており、改めて感心させられます。

とはいえあくまでも映画ですから、すべてが厳密な時代考証に則《のっと》っているわけではありません。エンターテインメント作品として、物語をより面白くするために効果的な演出も随所に施されています。

例えば、当時こうした戦車競走は確かに行われていたのですが、その主流は二頭立ての戦車競走でした。もちろん四頭立ての競走もあり、人気もあったのですが、ローマならともかく地方では二頭立てが主流でした。

『ベン・ハー』の舞台は一世紀初頭、この頃すでにローマ帝国は広大な領土を誇り、ローマ皇帝や有力者が市民に提供するものとして「パンとサーカス」は浸透していました。

ここで言う「サーカス／circus」とは、ピエロや空中ブランコなどのいわゆる曲芸のことではありません。サーカスはラテン語では「キルクス」と読みますが、これは「楕円形のコース」を意味する言葉なのです。そうです、戦車競走のための競技場こそがサーカスなのです。

ローマというと、コロッセウムで行われる剣闘士の試合が有名ですが、当時それ以上に人気を博していたのが、戦車競走でした。今もローマには、一周七〇〇メートルもある「キルクス・マクシムス（現在はチルコ・マッシモと呼ばれる）」という巨大な常設の戦車競走場の遺構が残っています。現在その観覧席は失われていますが、キルクス・マクシムスの収容観客数は約三〇万人、学者の中には仮設の観客席を加えれば五〇万人近く収容可能だったと言う人もいます。東京2020オリンピックのメイン会場として使われた国立競技場の収容観客数が約六万八〇〇〇人ということを考えれば、キルクス・マクシムスがどれほど巨大かおわかりいただけるでしょう。

さらに、『ベン・ハー』では九台の戦車がエントリーされていますが、これは明らかに多すぎます。

ローマの戦車競走は、基本的には春夏秋冬を意味するカラー、「緑・赤・青・白」が割り当てられた四台で行われました。

私が知る限りでは、九台の戦車が一度に競い合うレースの史料は見たことがありません。それに、戦車競走ではコーナーを折り返すのが非常に難しいのですが、四頭立てではなおさらです。地方の競技場ではこれだけの台数での競走は不可能だったと思います。

また、原作の小説では戦車の数は六台、レースの周回回数もローマ時代の通常の戦車競走と同じ七周となっているのですが、この映画では戦車九台、周回回数は九回と、台数も周回回数も増えているのですから、設定はこのシーンを盛り上げるためのフィクションなのでしょう。

まあ、そのほうが面白いですからね。

ただこの時代に、ローマと属国ユダヤの代表が戦うなんてことが許されのか、と聞かれることがあるのですが、これは戦っても良いのです。

ローマとユダヤを対決させるのに、台数が少ないとインパクトに欠けるので、演出として設定を変えたのでしょう。でも、そうした効果は十分にあったと思います。あのシーンは六十年以上の年月を経た今見ても、素晴らしい迫力で見る者に感動を与えてくれる名シーンとなっているのですから。

イエス・キリストが生きていた時代

『ベン・ハー』ではイエス・キリストが重要な役割を果たしますが、イエスが生まれたのは、確定してはいませんが、紀元前四年ぐらいだと考えられています。とすれば、ローマ皇帝は初代皇帝アウグストゥス（在位前二七〜一四）。物語の始まりはその二十六年後ですから紀元二二年頃、ジュダはそれから三年間ガレー船で苦しみ、ローマの貴人マリウスの養子となってさらに数年ローマで生活を送っているので、戦車競走の頃は紀元三〇年前後ということになります。いずれにしても、ローマ皇帝は二代皇帝ティベリウス（在位一四

〜三七）の時代ということになります。

ジュダ・ベン・ハーとイエス・キリストは、ほぼ同じ歳という設定で、ジュダは人生の節目でイエスに出会い、その度に深い感銘を受け人生を変化させていきます。

はっきりと言葉や映像では見せていないのに、キリストの威厳と神々しさが伝わるウィリアム・ワイラー監督によるイエスの描写は見事としか言いようがありません。

『ベン・ハー』はキリスト教誕生以前の物語なので、映画の中ではユダヤ教に基づく「メシア」という言葉は出てきますが、「キリスト」や「キリスト教」という言葉は登場しません。イエスは、あくまでもユダヤ教の中で新しい教えを説く若きラビ（ユダヤ教の指導者）として登場します。

敬虔《けいけん》なユダヤ教徒であるジュダは、どんなに苦しい境遇に落ちても信仰心は失いません。新しい教えにも最初は興味を示さず、恋人のエスターが「とても良いお話が聞けるので、若いラビの話を聞きに行きましょう」と誘っても、聞きに行こうともしません。

そんなジュダが物語の最後には、イエスがユダヤ教徒が待ち望んでいたメシアであることを確信していくことになるのですが、そのきっかけは……、ネタバレになってしまうのでここでは語らないでおきましょう。

そういう意味では『ベン・ハー』は、とてもキリスト教色の強い作品だと言えます。

しかし、原作や他の映画作品と比べると、ウィリアム・ワイラーの『ベン・ハー』は、最も宗教臭さのない作品に仕上がっています。そのことも、この映画が広く親しまれることに繋がっていると言えるでしょう。

これは、直接映画には関係ない余談ですが、イエスが説いた「愛の教え」は、この時代の宗教観、倫理観からするととても異質なものなのです。

『ベン・ハー』でも、イエスは最後、十字架上で「父よ、この者たちをお許しください」と、自分を殺す人々に対する許しを神に請うシーンが登場しますが、この時代の神というのはもっと厳しい存在で、そこに「人を許す」という教えはないのです。

世界史的に言うと、イエスの時代に「人を許す」という教えが存在した可能性があるのは、唯一「仏教」だけです。そのため、極端な意見ではありますが、イエスは仏教徒だったという言い方をする研究者もいます。

でもこれ、実は全くあり得ないこと、ではないのです。

仏教徒だった、と言うのは確かに言い過ぎですが、イエスが仏教思想に触れていた可能性ならあり得るのです。

ユダヤを征服したローマは、この三百年後、宗教的にはローマの神々を捨て、キリスト教を国教にしていくわけですが、『ベン・ハー』はそのキリスト教の原点を、イエスと同年代のジュダという一人のユダヤ教徒の青年の人生を通して描いたとも言えるのです。

ローマ史を学んで知ったメッサラの気持ち

もう一つ、『ベン・ハー』では、私がローマ史を研究するようになってから、受ける印象が大きく変わったことがあります。

それは敵役メッサラに対する印象です。

子供の頃は単純ですから、傲慢な支配者ローマと虐《しいた》げられるかわいそうなユダヤ、権力を笠に着て旧友を裏切ったメッサラと苦難に負けず人生を切り拓くジュダという、善悪の対立構造だと思っていたものが、ローマ史を知ったことで、メッサラの苦悩が理解できるようになったのです。

ローマのことを何も知らずに『ベン・ハー』を見れば、確かにローマは悪者に映るでしょう。しかし、ローマ帝国の統治は、当時としてはかなり寛容といっていいものだったのです。

先ほども戦車競走のところで触れましたが、ローマ支配が完全な圧政であれば、被支配地となった属州の人々が、ローマ人と対等の立場で競技場に立つことなどできなかったはずです。宗教の問題にしても、ジュダが敬虔なユダヤ教徒だということは、属国の人々には信仰の自由が与えられていたということです。

ローマの領土は広大です。この時代はユダヤだけでなく、ギリシアもエジプトもローマの属州になっています。そうした属州の人々は、それぞれの宗教・信仰を持っていましたが、ローマはそういうものに対して非常に寛容で、宗教の改宗を求めることは一切していません。

実は、ローマがユダヤに求めたのは、他の属州と同じようにユダヤもローマの属州になったのだから、ローマ皇帝に対しそれなりの敬意を示して欲しい、ということに過ぎなかったのです。

映画の中でも、メッサラが再会したジュダに求めたのは、「ユダヤは属州となったのだから、無益な反乱はやめるように同胞に言って欲しい」ということでした。

おわかりでしょうか、ローマが求めていたのは「心の中では自分の神を自由に信仰していいから、とりあえず表面的にはローマ皇帝に礼を尽くし、敬意を示して欲しい」ということだけだったのです。それをユダヤの人々が頑《かたく》なに拒否したので、厳しくせざるを得なくなった、というのがローマの立場なのです。

では、なぜユダヤ人はこれほどまでに頑なだったのでしょう。

理由はユダヤ教が一神教だったからです。

現代人にとって一神教は珍しいものではありません。ユダヤ教の他にもキリスト教とイスラム教という世界を席巻する二大宗教が一神教だからです。

一神教の神は唯一絶対神なので、それ以外の神の存在を許しません。なぜなら、彼らにとって「神」は自分たちが信じる唯一神だけだからです。もしそれ以外に「神」を名乗るものがいれば、それは偽物の神だということになるのです。

一神教では、他の神の存在を決して容認しません。今でも一神教同士の間で争いが絶えないのはこのためです。

恐らくローマ人には、ユダヤ人のこうした気持ちは理解できなかったでしょう。なぜならローマ人の信仰は多神教だからです。ローマだけではありません、『ベン・ハー』の時代においては、ユダヤ教の他に一神教は存在しません。神は「神々」であることがあたりまえの時代なのです。

属州の中でユダヤだけがどうしてもローマに恭順を示さない。

他ではうまくいっているのに、なぜユダヤではうまくやれないのか。そうしたローマ皇帝のいらだちをメッサラは背負っていたのです。

メッサラも最初は友であるジュダなら、自分の思いを理解して協力してくれるのではないかと期待したのです。期待したからこそ、ユダヤの平和のためにローマとの仲介役になって欲しいと頼んだのです。

メッサラが求めたのは、ユダヤ人の心からの恭順ではありません。君が自分の信念を持っていても構わないし、君たちの神を信じてもいい、とにかくローマに対してもう少しだけ従順になってくれ、と言っているのです。しかしジュダは、自分たちの民族信仰を頑なに主張し、歩み寄ろうとしません。

もし私がメッサラの立場でも、これだけ頑なな態度を取られたら、最後には仕方ない力尽くででも、という気持ちになったと思います。現代人の私でさえそう思うのですから、あの時代のローマ人ならなおさらです。

実際この後ユダヤとローマは、ウェスパシアヌス（在位六九〜七九）の時代に「ユダヤ戦争」と言われる交戦状態に陥っていきます。あくまでもユダヤはローマの属州なので「戦争」という言葉を使うのも変なのですが、反乱を起こしたユダヤ人の抵抗は激しく、六八年にエルサレムが陥落してもユダヤ人は抵抗をやめようとしませんでした。

生き残ったユダヤ人たちは、かつてヘロデ王が断崖に築いたマサダの砦《とりで》に立てこもり、三年もの間抵抗を続けます。しかし、ローマ軍に敵《かな》うわけがありません。ついにマサダの断崖を埋めたローマ軍が、明日には突入してくるというとき、砦のユダヤ人たちは、ローマ軍に敗北するぐらいならと、集団自決の道を選んだのです。

悲惨な結末を迎えたマサダの砦での戦いのあとも、ユダヤ人がローマに恭順することはなく、ハドリアヌス（在位一一七～一三八）の時代にも、ユダヤ人は再び反乱を起こしています。

国が支配されても、表面的な恭順でいいのだからと言っても、厳しく力で押さえつけても、何をしても決して恭順を示さないユダヤ人をどうすれば従わせ、帝国内を平和に治めることができるのか、ローマ皇帝たちにとってユダヤ支配は本当に難題だったのです。

そうこうするうちに、ユダヤ人たちは圧制を逃れるために、家族、一族といった小さな単位で帝国各地に離散していきました。これをユダヤ人の「ディアスポラ／民族離散」といいます。

散っていった先でも、彼らは自分たちの信仰を頑なに守ったため、現地の社会にうまく溶け込めず「異質な集団」としてさまざまな問題を引き起こすことになります。

こうした歴史を知ると、よくユダヤ人は世界中で「迫害された」と言われますが、それは本当に「いわれなき迫害」だったのだろうか……、と考えさせられてしまいます。

自分たちの信じるもの以外は、決して受け入れない彼らの頑なさに、周囲の人々を追い詰め、嫌悪の念を抱かせてしまうものがあったのではないでしょうか。

とにかく、歴史的に見ても、ユダヤ人は、ローマの寛容を唯一寛容として認めなかった異質な民族だったと言えるのです。そしてそこが、ローマがユダヤ人を許せないところでもあったのです。

こうしたユダヤ人の頑なさは、この後ユダヤ教から派生した一神教「キリスト教」に受け継がれていくことになります。そして、最終的には、ローマの寛容がキリスト教の頑なさに敗北していくことになるのですが、その話はまた後ほど、『アレクサンドリア』の解説で詳しくお話しすることにしましょう。

何度見ても素晴らしい映画は新たな感動を与えてくれる

『ベン・ハー』は、原稿を書くにあたり、改めて見直してみて、正直なところ私は少し驚いています。

なぜなら、これほど感動するとは思っていなかったからです。

以前『20の古典で読み解く世界史』（PHPエディターズ・グループ）という著書の中で、同じ作品であっても読み手の年齢が変わると新たな発見がある、という話をしたことがあるのですが、良い映画でも同じことが言えるということを、私は『ベン・ハー』を二十年ぶりに見て痛感しました。

今回最も心に刺さったのは、ジュタが母や妹に寄せる思い、そして、母と妹がジュダを思いやるシーンの数々でした。

それらは、若いときには全く気にとまらなかったシーンです。

中学生のときには、ジュダとメッサラの男同士の確執、それに、ガレー船での海戦シーンや戦車競走といった派手なスペクタクルシーンに心を動かされ、もう少し成長してからは、丁寧に作り込まれたセットや緻密な時代考証、歴史的事実にフィクションを効果的に織り交ぜて作られた秀逸なストーリー展開に感動しました。

でも、家族の情愛にこれほど心を動かされた記憶はなかったので、見ていて思わず涙がこぼれそうになったときには、自分でも驚いてしまいました。

こうした感動に出会えたのは、年を取り、自分が親兄弟や親しい人間に対するいろいろな思いを経験してきたからです。若いときには見つけることができない、宝物のような感動ポイントに出会えるのも、名作映画を見直す楽しみの一つです。

ローマ史を専攻したきっかけは『ベン・ハー』だった

『ベン・ハー』には、他にも紹介しきれないほど多くの素晴らしいシーンがあります。

役者の演技でも、ふとした表情や仕草に、ああこの人はこういう気持ちからこの演技をしたのか、ということがわかり感動した部分もありました。

初めて見た中学生のときに経験した感動と、今七十歳を過ぎて見たときの感動と、感じるものは同じではありませんが、どちらもそのときの年相応に素晴らしいものでした。

そういう意味では、次々と新しい映画を見ていくのも楽しい経験ですが、気に入った名作映画は、生涯のうちに三、四回ぐらいは、時間を割いて見直してもいいのではないかと思います。

最後に思い切って告白すると、私が『ベン・ハー』を最初の名作映画に選んだのには、理由があります。それは、私がローマ史研究の道に進んだ原点がこの映画だったのかもしれないと気づいたからなのです。

「本村さんはなぜローマ史を専門に選んだのですか?」

そう聞かれたとき私は、大抵の場合、次のように答えています。

「私が本格的に勉強し始めたのは、大学二年生の後半頃ですが、最初は、近現代に生きている人間として、近代資本主義というものを自分なりに勉強してみようと思ったのです。でも、単に近代資本主義を考えたのでは面白くない。そこで、近代資本主義の特徴をつかむためにも、古代資本主義と比較してみたらどうか、と思ったのです。
ところが、やっているうちに古代史がどんどん面白くなってしまい、ついつい深入りしていき、そうしているうちに、古代世界を統合したローマの歴史にはまってしまったのです」

これが私のいわゆる「公式コメント」なのですが、あるときふと、自分はなぜ近代資本主義を考察するのに、ローマにおける古代資本主義と比較してみようと思ったのだろう、と少し突き詰めて自問自答してみたのです。すると、どうもその根底にあるのは『ベン・ハー』を見たときの感動だったらしいことに気づいたのです。

初めて『ベン・ハー』を見たとき、私はそこに描かれていた古代帝国ローマの姿に感動し、魅了されました。そのときの感動は、その後いろいろなものに出会い、感動しても色あせることなく私の中にずっと息づいていたのです。

今の若者でも『ベン・ハー』の素晴らしさは、伝わるはずです。本当は、映画館の大スクリーンで見て欲しい作品ですが、まずはどんな形でもいいので一度でいいから見て欲しい。そんな思いから、まずは私のローマ史研究の原点、『ベン・ハー』から本書を始めることにしたのです。

一人でも多くの方が『ベン・ハー』という作品を見てくれることを心から願っています。

02
/
21

Gladiator

『グラディエーター』

グラディエーター

悔しいほどに素晴らしい一作

映画『グラディエーター』が日本で公開されたのは、二〇〇〇年六月。

実はこの映画には、個人的に悔しい思い出があるのです。

タイトルからもわかるように、この映画は古代ローマ時代の「剣闘士／グラディエーター」をテーマとした作品です。そこで日本公開にあたり、ローマ史家である私に、プログラムにエッセイを書いて欲しい、という依頼が来ました。

監督は『エイリアン』(一九七九)や『ブラック・レイン』(一九八九)といった作品で日本でも認知度の高いリドリー・スコット、主演は一九九九年に『インサイダー』で好演し、惜しくも受賞は逃したもののアカデミー賞の主演男優賞にノミネートされたラッセル・クロウ。監督、俳優ともに脂の乗った二人がタッグを組んだとなれば、いやが上にも期待が高まります。

ところが、エッセイを書くために公開より一足早く作品を見た私は、ひどく落ち込んでしまいました。予想に反して駄作だったからではありません。予想以上に良かったので、ショックを受けてしまったのです。

私が『グラディエーター』を見て最初に感じたのは……。

「リドリー・スコットとラッセル・クロウに先を越された！」

という悔しい思いでした。

なぜなら、そのとき私は、剣闘士をテーマとした本を書いている最中だったからです。当時日本には、まだ剣闘士研究の啓蒙書と言えるものはありませんでした。そこで私は、先陣をきるつもりで一年も前から、小説仕立てのオリジナルストーリー「ある剣闘士の手記」を含む原稿の執筆に精力を注いでいたのです。

剣闘士という特殊な環境で、死に直面した人間はどのような心理状態になるのか。また、それを娯楽として見ていた人々の心理はどのようなものだったのか。啓蒙書といっても、専門家の慧眼《けいがん》にも堪えうる一冊にしたいと、時間をかけてできる限りの史料を集め、やっと執筆に入ったところだったのです。

映画と書籍ではフィールドが違うと思われるかもしれませんが、私が悔しかったのは、私が最も書きたかったテーマである「剣闘士の心理状態」をこの映画が見事に描き出していたことでした。

ただでさえ映画は、書籍よりも人の五感に訴えかけ、強い印象を残します。それが名作映画ともなればなおさらです。『グラディエーター』が描き出した剣闘士の姿が、剣闘士とはどのようなものなのか、人々の心に深く刻まれる雛型となるであろうことは明らかでした。

こうしていきなり水を浴びせられたような気持ちになった私の執筆速度は、その後、著しく遅くなってしまい、手がけていた原稿が『帝国を魅せる剣闘士』（山川出版社）として刊行されたのは、なんとそれから十年以上が過ぎた二〇一一年になってからでした。宣伝文句ではたまに耳にする言い回しですが、「構想二十年、執筆十年」をまさに地で行った作品となってしまったのです。まあ、何を言いたいのかと言えば、『グラディエーター』は、それほどいい作品だということです。

作品の舞台となっているのは、二世紀後半のローマ帝国。皇帝でいうと五賢帝最後の皇帝、マルクス・アウレリウス帝とその息子のコンモドゥス帝（映画での表記はコモドゥス）の時代です。この実在した二人の皇帝は、映画の中に重要な役割で登場します。

もちろん『グラディエーター』はエンターテインメント作品なので、そのキャラクターは史実のままではなく、皇帝たちは架空の登場人物たちと虚実綯《な》い交ぜとなったオリジナルストーリーを紡《つむ》いでいきます。特にコモドゥス帝は、映画の中では主人公マキシマスの敵役という重要な役どころを果たしています。

『グラディエーター』に成功をもたらしたのは、オリジナルに近いスケールで忠実に再現したコロッセオのセットや、当時の剣闘士たちが身につけたさまざまなコスチュームの再現、そして迫力ある戦闘シーンなど、いろいろありますが、最も貢献したのは、やはり登場人物の内面まで掘り下げた俳優たちの名演でしょう。

この映画でアカデミー賞主演男優賞を受賞した、主人公ラッセル・クロウの演技が素晴らしいのはもちろんですが、コモドゥス帝の屈折した感情を見事に演じた、若手俳優ホアキン・フェニックスもそれに伍《ご》する光を放っています。ちなみに、この作品で個性派俳優として知名度を確立したホアキンは、後に、トッド・フィリップス監督の大ヒット映画『ジョーカー』(二〇一九)で、非常に難しい役どころのジョーカーを見事に演じ、アカデミー賞主演男優賞を受賞しています。

そんな二人の脇をベテラン俳優、アウレリウス帝を演じたリチャード・ハリスと、この作品の撮影中に亡くなった、剣闘士興行を取り仕切るプロキシモ役のオリバー・リードが、がっちりと固め、作品の登場人物たちに命を吹き込んでいるのです。

人間に不可欠な「パンとサーカス」を提供したローマ

古代ローマにおける剣闘士競技は、『ベン・ハー』のところでお話しした戦車競走と同じく、ローマ皇帝や有力者が市民に無償で提供した「パンとサーカス」の「サーカス」にあたるものです。

わかりやすく言うと、「パン」は食料、「サーカス」は娯楽です。

帝政期の初期、アウグストゥスからネロの治世を生きたローマの風刺詩人ユウェナリス（六〇頃～一三〇頃）は、当時の民衆の様子を、「かつて権勢や国威や軍事などに全力を注いでいた市民たちも、今ではちまちまするばかりで、たった二つのことだけに気を揉《も》んでいる。パンとサーカスだけを」と言っています。つまり、帝政期にはすでにパンとサーカスが定着していたということです。

では、パンとサーカスはいつ始まったのでしょう。

「パン」の提供が始まったのは、共和政末期の紀元前二世紀頃。当時は、対外戦争でローマの領土が拡大していた時期ですが、対外戦争は領土だけでなく、多くの捕虜をローマにもたらしました。この捕虜たちが奴隷として労働力に使われたことで、ローマでは奴隷制ラティフンディア（大土地所有制）が拡大します。

大土地所有者が生まれるということは、その背景に土地を手放す者がいたということです。土地を失い無産市民となった人々は、都市に行けば生活できるだろうと考え、大都市、特にローマに流れ込みました。

彼らは財産はありませんが、ローマ市民なので選挙権を持っていました。ローマでは執政官や法務官など上級公職者は選挙によって決まったので、票を得たい富裕層が、無産市民を救済するという名目で（実際には票集めのために）、穀物の無償支給を行ったのです。これが「パン」の始まりでした。

人々が日々の食事に困らなくなれば、「パン」だけでは票が獲得できなくなります。そこでより多くの票を集めるために富裕層が次に提供したのが「サーカス」だったというわけです。こうして、提供すれば票が得られるという状況は、次第に、提供しないと人気が得られないという状況に変化していきます。

こうした状況は帝政期に入っても基本的には変わりません。つまり、帝政期のイメージが強い「パンとサーカス」ですが、実際には、皇帝たちは共和政のときからの習慣を自分の人気取りのために引き継がざるを得なかった、ということなのです。

イエス・キリストは「人はパンのみにて生きるものにあらず」（『新約聖書』マタイ伝・第四章）と言ったと言われています。まあ、これは聖書の言葉なので、この後には「神の口より出づる、一つひとつの言葉にて生く」と続くわけですが、ローマ人に言わせれば、「人はパンのみに生きるにあらず、人生にはサーカス（娯楽）が必要だ」ということなのでしょう。

でも、実際「娯楽」がいかに人間にとって必要不可欠なものかということは、私たちもこの三年以上続いた新型コロナウイルスのパンデミックによって、痛感しているのではないでしょうか。ローマ人に限らず、人間が生きていくためには、娯楽が必要なのです。

ローマにおけるサーカスは、提供する側の権力と資産が大きくなればなるほど、大規模なものになっていきました。

『グラディエーター』に登場するローマの巨大な円形闘技場「コロッセオ」が完成したのは、西暦八〇年、ティトゥス帝（在位七九～八一）の時代です。でも、建設が始まったのは先帝ウェシパシアヌス（在位六九～七九）の治世で、建設には約十年の歳月が費やされています。

ちなみに、なぜこの時期に巨大な円形闘技場が造られたのかというと、これも市民の不満を「サーカス」を提供することで懐柔するためでした。

ウェシパシアヌスが即位したとき、皇帝ネロ（在位五四～六八）による放蕩《ほうとう》財政と、その後の内乱で、緊縮財政を余儀なくされ、市民の不満は鬱積していました。

市民の不満を和《やわ》らげるためにサーカスを提供しようと思っても、当時のローマで剣闘士競技が行えたのは、収容人数約一万人の仮設の木造闘技場だけでした。

古代なのだから、一万人も収容できれば十分だろうと思うかも知れませんが、古代だからこそ、巨大で収容人数の多い闘技場が必要だったのです。

現代はさまざまな「娯楽」があるうえ、テレビやインターネットの普及によって、ライブ会場や映画館、スタジアムなど現地に行かなくてもライブや映画、スポーツ観戦を楽しむことができます。でも、ラジオでさえ一般放送が始まったのは二十世紀になってからなのです。

十九世紀のイギリスですら、ロンドンの人たちは、競馬を見るために朝早く起きて、四、五時間もかけて五八キロメートル離れたアスコット競馬場まで行っていました。でもこれは馬車で行けるお金持ちの場合で、多くの人は徒歩で、場合によっては数日かけて現地に行き、競馬を楽しんだのです。

つまり、古代はおろか、十九世紀まで人間は、会場に行かなければ「娯楽」を享受することはできなかったということです。

目の前で楽しむ以外の娯楽がない時代。しかもその種類は少なく、それも、一年のうちに何回楽しめるかという時代です、古代ローマ人にとってそれがどれほど大きな楽しみであったか、現代人の比ではないことは想像に難くないでしょう。

『ベン・ハー』のところで最も人気があったのが戦車競走だったと言いましたが、最も多くの人が足を運んだのは、間違いなく剣闘士競技でした。

なぜなら、戦車競走は広い競技場を必要としたので、ローマなど大都市でしか開催できなかったのに対し、剣闘士競技は、ちょっとした広場さえあれば開催できたからです。

私が調べた限りでも、ローマ帝国の中には、三〇〇を超える常設のスタンドを持った円形競技場があったことがわかっています。これに対し戦車競走が可能な競技場は、せいぜい数十カ所しかありません。つまり、単純に比較しても、一〇倍以上の数の剣闘士興行が、さまざまな場所で行われていたと言えるのです。

例えば、火山灰に埋もれたために、古代ローマ時代の町並みがほぼ完全な状態で保存されたポンペイの遺跡では、二万人を収容できる円形闘技場が発見されていますが、戦車競走が可能な競技場跡は見つかっていませんし、文献を見ても、あの近くで戦車競走が行われたという記録は、私が調べた限り見つかっていません。

もちろんローマには、キルクス・マクシムスがありましたが、戦車競走は規模が大きく費用もかさむので、それほど頻繁には行われていませんでした。そういう意味では、やはりサーカスの中心は剣闘士競技でした。

剣闘士競技が行われると知れば、誰と誰が戦うのか組み合わせを予想したり、戦い方を想像したり。対戦カードが発表されれば、当然その勝敗は賭けの対象になりましたから、人々の予想はさらに白熱しました。

ここまで言えば、もうおわかりでしょう。

もしもこれだけ楽しみにしてきた剣闘士競技が、会場のキャパシティの問題で見られないとなったら、どうなると思いますか？

市民の人気を得るための「サーカス」が、かえって市民の不興を買う原因になってしまうのです。だから、ローマには、見たいと思う人たちをすべて収容できる巨大な円形闘技場が必要だったのです。

公認殺人競技「剣闘士興行」の実態

剣闘士競技が娯楽だったと聞いて、現在の格闘技のようなものだと思ったら、それは大間違いです。剣闘士と格闘技は似ているようで全く違うものです。

なぜなら、ローマ帝国で数百年にわたって人々が熱狂した「剣闘士競技」は、人類史上、唯一公認された「殺人競技」だからです。

映画の中では、剣闘士になったばかりのマキシマスが、対戦相手の首を刎《は》ねるシーンがありますが、実際の剣闘士の試合では、あそこまで派手なことはしなかったようです。もしあったとしても、それは極まれなことでした。

そういう意味では、『ベン・ハー』の戦車競走同様、『グラディエーター』の剣闘士興行も、やはり相当派手な演出がなされていると言えます。

興行師は、自分の持つ剣闘士を、剣闘士興行の主催者に貸し出すことで利益を得ていました。剣闘士の訓練は厳しく、試合は命がけとなれば、反抗や暴動に加え、自殺や逃亡の恐れもありました。そのため剣闘士たちは施錠された狭い房で寝泊まりし、絶えず看守や兵卒に監視されていました。

勇敢《ゆうかん》に戦うイメージがある剣闘士が自殺をしたのだろうか、と思われるかもしれませんが、それは度々起きていたようです。剣闘士の房が基本的に独房ではなく、相棒がおかれていたのも自殺防止策の一つだったと考えられています。

それでも、自殺は皆無ではありませんでした。一世紀の哲学者セネカは、次のような記録を残しています。

野獣闘技の訓練場でゲルマン人の一人が、午前の見世物の訓練をしていたときに、休憩すると言ってその場を立ち去った。監視人もなく独りでいられるにはそれ以外になかったからである。そこで、彼は汚物洗浄用の海綿付の棒切れをとって、それを喉に深く詰め込み、喉笛を詰まらせて息を断ってしまった。

なんとも悲惨な死に方ですが、剣闘士反対論者だったセネカは、他にもいくつもの剣闘士の自殺の様子を書き残しています。

『グラディエーター』には、派手な演出もありますが、映画はエンターテインメントですし、上映時間の制限もあります。その中で、剣闘士のおかれた過酷な状況を見る者にわかりやすく伝えるためには、首を刎ねる、一試合で何人もの剣闘士が殺される、というような過激で派手な演出も必要なのだと私は思います。

では、実際の剣闘士の死亡率というのはどのぐらいだったのでしょう。

先ほど言いましたが、剣闘士は大事な商品なので興行師としてはできるだけ死んで欲しくないのが本音です。

一世紀の記録では、エーゲ海北部のタソス島で行われた試合では、七試合中、敗者一人の喉切りが記録され、ポンペイの記録では、二試合中に敗者一人、八試合中に敗者二人が喉を切られ、イタリア中西部の街ウェナフルムでは、五試合中死亡者はなかったと記されています。

剣闘士の試合は一日あたり五～六試合。大抵は二人で対戦するので、一日に一〇人から一二人の剣闘士が戦うことになります。その中で何人が殺されたのかというと、こうした記録を見る限り、一日に一人ぐらい、というのが実際だったようです。

死に方としては、もちろん戦っている中で、武器が急所に刺さって死ぬケースもありましたが、大概の試合はとどめを刺すまで戦うことはなく、相手が武器を落としたり、倒れて戦闘不能になったり、明らかに勝てない状況に追い込まれると、主催者が観客の反応を見て、敗者を生かすか、殺すか、合図をして決めました。先の記録の「喉切り」というのは、こうした主催者の合図によって、喉を切られて殺されたことを意味しています。

この合図を出すシーンは『グラディエーター』にも登場しますが、握りこぶしを作り、親指を立て、その親指を上に突き上げれば「生かせ」、下に向ければ「殺せ」ということになっています。

主催者の目的は人気取りなので、常に観客の動向をうかがい、民衆が「殺せ、殺せ！」と叫べば殺すし、「助けろ、生かせ！」と言えば助けました。

映画の中でも、マキシマスが生きていたと知ったコモドゥスが、一旦は殺そうと思い指を下に向けようとしたものの、観客の「生かせ！」という声に、自分の思いを断念して指を立てるというシーンがあります。

監督のリドリー・スコットは、製作会社からアイデア源の一つとなった十九世紀の画家ジャン＝レオン・ジェロームの絵画『指し降ろされた親指』を見せられ、この映画のオファーを受けることを決めたと語っているだけあって、このシーンは非常に印象的に仕上がっています。

ちなみに、この指を下に向けることで「殺す」を意味する合図は、今ではかなり一般的なジェスチャーとして認識されていますが、実は文献史料上は判断が難しく、歴史家による冷静な解釈では、どうも「斬《き》り殺せ」と叫んで親指を突き上げれば処刑し、親指を下げたときは助命したというのが正しいと考えられているのです。つまり、今考えられているのとは合図が逆だったかもしれないのです。

まあ、合図の真意はともかく、観客はどういうときに「殺せ」と言ったのかということははっきりしています。それは、だらしなく戦ったときでした。健闘むなしく敗れた剣闘士に対しては助命の声が上がるのが普通でした。日本の相撲の解説でよく聞く「敗れましたが、良い相撲でした」というのと、同じです。

観客をワクワクさせ、非常に白熱した試合を見せてくれた剣闘士に対しては、「頑張ったのだから助けろ」と言い、逃げ腰でつまらない試合をして敗れた剣闘士に対しては、「面白くない試合をしやがって、殺してしまえ」ということです。

観客の声次第で実際に殺されてしまうのですから、残酷ではありますが、判断基準自体は、勇敢に戦うことを名誉として重んじたローマ人らしいものだと言えるでしょう。

人間の本能に潜む殺人競技に興奮する感覚

こうした剣闘士の実態を知れば知るほど疑問を感じるのが、ローマの人々は、なぜ剣闘士競技という残酷な殺人競技に、数百年もの間熱狂したのか、ということです。

もちろんこうした疑問に対する型どおりの答えはあります。

まず、ローマという国は、長期にわたる征服戦争において勝利を積み重ねることで帝国になった国であるということが大前提としてあります。

そのローマも巨大な帝国になると、戦争は圧倒的に少なくなります。パクス・ロマーナ(ローマによる平和)と言われた時代でも、戦争が全くなかったわけではありませんが、戦っているのは辺境の国境地帯で、異民族の侵入を防いだり、帝国の豊かな物資を略奪しに来るものたちを追い返したり、といった比較的小規模なものでした。

事実、大規模な対外戦争は、基本的には初代皇帝アウグストゥスが出てきた頃からほとんどなくなっているのです。

人間は誰しもいずれ死ぬことを知っていますが、日常の中で「死」を意識することはほとんどありません。今も世界のどこかで戦争があり、人が亡くなっているのですが、自分たちの身の回りが平和で、日常が脅かされない限り、その死を身近に感じることはありません。当時のローマ人たちも、そんな今の私たちと同じような感覚だったのでしょう。

現代人と違うのは、そういう平和な社会においても、ローマ人の気質の中には、死を恐れない精神を磨き上げることが必要だ、という強い思いがあったことです。

ローマは、基本的に戦士国家です。今は平和でも、いざとなれば、男は戦場に行って戦わなければなりません。今は平和で戦争に行くことはないが、だからこそ、敢えて残酷な光景を見ることで、いざ戦場に行ったとき、血にひるまず、死を恐れず、死に直面しても動じない強靱な精神力を養った、ということです。

実際、こうした理由は、古代の人たち自身も語っていることです。

これも嘘ではないでしょう。でも、本当にそれだけだったのでしょうか。私は、それだけではなかったように思えて仕方ないのです。

実際、当時の人の中にも、剣闘士競技が残忍だということは、ある程度の知識人はみんな気が付いていました。セネカのように剣闘士競技を嫌悪した人は多くなかったかも知れませんが、残酷な見世物だという認識はほとんどの人が持っていたはずです。

いえ、ほとんどの人がその残酷さをわかっていたからこそ、それを楽しんでいる自分たちの心を合理化するために、「死を恐れない精神を培《つちか》う」という大義名分を後付けしたのではないのでしょうか。

そう考えると、一面では死を恐れない精神を鍛錬するという意味もあったのかもしれませんが、やはり「娯楽」としての面が大きかったと考えられるわけです。

では、当時の人はなぜ人の死を娯楽として楽しめたのでしょう。

それは、極端な言い方ですが、剣闘士は人であっても、自分たちと同じ人間ではなかったからです。この感覚は、「奴隷」を容認しない現代人には、完全には理解できないものだと思います。当時、奴隷や戦争捕虜、あるいは死刑に値するような大罪を犯した人間は、「人間」として扱われませんでした。剣闘士の多くが売買された奴隷や罪人であったことからもわかるように、剣闘士も同じでした。

生き物同士を戦わせ、それを見て楽しむという行為は、古くから世界中にあり、今も、闘犬や闘鶏、人と牛を戦わせる闘牛などはわずかながら行われています。

私はかつて、スペインのマドリードで闘牛を見たことがあるのですが、牛が槍や剣で突き刺され、血だらけになっていく姿は、私にとっては残酷なもので、現地の人と同じように楽しむことはできませんでした。

マキシマスは、なぜ「SPQR」の入れ墨を削り落としたのか

『グラディエーター』の面白さは、愛する家族を無残に殺され、人間扱いされない剣闘士にされてしまった誇り高き戦士の心の機微を、台詞ではなく演技と映像で見事に表現したことにあると言えるでしょう。

中でも私が強烈な印象を受けたのは、剣闘士として生きなければならなくなったマキシマスが、宿舎の片隅で、石のかけらを使って、自らの腕に刻まれた「ＳＰＱＲ」という入れ墨を無言で削り落とすシーンです。

それを見た仲間の黒人剣闘士ジュバが、「あんたの神の印か？」と尋ねますが、マキシマスは何も答えず削り続けます。ジュバがさらに「神が怒るぞ」と言うと、マキシマスは悲しげに笑いながら、うなずき、やはり無言で削り続けるのです。

このときのラッセル・クロウの表情は、まさに名演と言えるものです。

でも、もしかしたら、多くの日本人は、このシーンを覚えていないかもしれません。なぜなら、このシーンに込められた意味は、「ＳＰＱＲ」という文字の意味がわからなければ理解できないからです。

日本人には馴染みのない四文字ですが、「ＳＰＱＲ」とは、「セナートゥス・ポプルスクェ・ロマーヌス／(Senatus Populusque Romanus)」の頭文字を取ったもので、ローマという国家の正式名称なのです。その意味は「ローマの元老院と国民」です。

つまり腕の「ＳＰＱＲ」は、ローマに忠誠を誓った証《あかし》なのです。

マキシマスはローマと、その皇帝アウレリウスに忠誠を尽くしてきました。しかし、忠誠を尽くした皇帝はコモドゥスに殺され、その罪を断罪することもできないどころか、コモドゥスの恨《うら》みを買い、妻と子を無残に殺され、剣闘士の身に落とされたのです。

マキシマスはローマ軍の将軍ですが、スペイン人です。その彼が、なぜローマに忠誠を誓い、最愛の家族を故郷に残し戦っていたのでしょう。その答えと思われる台詞が、アウレリウス帝との会話のシーンに見られます。

ローマの栄光のために戦っていると語るマキシマスに、アウレリウス帝は「そのローマとは？」と聞き、マキシマスは次のように答えます。

「私が目にした世界は、地を覆う野蛮行為と暗黒、ローマは光です」

彼がローマに忠誠を誓い、戦ったのは、ローマに「光」を見たからでした。

しかし、その光を信じさせてくれたアウレリウス帝を失い、その光を守る最大の理由であった最愛の妻子を殺されたのです。しかも自分の愛するものたちを殺した者が、光と信じたローマの新たな皇帝となったのです。だから、彼はＳＰＱＲの入れ墨を削り取ったのです。

史実とフィクションが交錯するストーリーの妙

マキシマスとコモドゥスの対立は、ときの皇帝アウレリウスが、非常に高潔で有能なローマ軍の将軍マキシマスに皇位を譲ろうとしたことに端を発しています。

主人公マキシマスは、架空の人物ですが、その人物設定は、スペイン出身の農民です。実際にそんな人物がローマ軍の将軍にまでのし上がり、帝位を譲られるなどということがあり得たのかというと、この映画の舞台となっている五賢帝時代であれば、あり得ない話ではないのです。

なぜなら五賢帝の時代は、血縁ではなく、実力に基づく養子継承によって皇位が引き継がれた時代だからです。この五人の皇帝は、それぞれの徳目から「善帝ネルヴァ」「至高の皇帝トラヤヌス」「英帝ハドリアヌス」「慈悲深きアントニヌス・ピウス」「哲人皇帝マルクス・アウレリウス」と呼ばれます。

ですから、哲人皇帝といわれた高潔なマルクス・アウレリウスであれば、もしも身近に優れた人物がいれば、実の息子ではなく、その人物に帝位を譲ることは十分にあり得ることだったのです。

『グラディエーター』は、この「もしも」をうまく設定に活かしたと言えます。

しかし、実際の歴史では、そうした人物がいなかったのでしょう。マルクス・アウレリウスは、実の息子コモドゥスに皇位を譲っています。

映画の中では、コモドゥスが父を殺して帝位に就いたということになっていますが、実際にはマルクス・アウレリウスがコモドゥスによって殺されたということは、まず考えられません。実際、研究者の中にもそうした可能性を言っている人はいないし、そういうことを匂わせるような史料もありません。

それに、マルクス・アウレリウスは、生前にすでに息子に帝位を与えており、亡くなるまでの三年間は父と息子、二人で共同統治を行っているからです。

ただし、コモドゥスが哲人皇帝と言われるほどの文人肌の父親とは相容れない性格の愚帝だったことは本当です。

コモドゥスは、目立ちたがり屋の野心家で、マルクス・アウレリウスのような文人が嫌いでした。そのため父親に対しても、反感を抱いていたと言われています。

あまりにも父親と違うため、コモドゥスは、母親が剣闘士と浮気してできた子供だという噂までまことしやかに囁かれたほどでした。

映画では、剣闘士マキシマスとの戦いの末、コモドゥスは命を落としますが、実際のコモドゥスも、剣闘士によって殺されたと言われているのです。

剣闘士に殺されたと言っても、場所は衆人環視の闘技場ではありません。

コモドゥスは、度重なる愚行の末、側近に見限られ宮廷内で暗殺されるのですが、このとき手を下したのが、コモドゥスの護衛をしていたナルキッソスという屈強の剣闘士だったと言われているのです。

『グラディエーター』は、このように時代設定をうまく活かした、虚実綯い交ぜの歴史エンターテインメント作品です。専門家の中には、史実と違うところを細かく論《あげつら》う人もいますが、映画は学術論文ではないのですから、あまり細かいことにこだわる必要はないというのが私の考えです。

大切なのは歴史的に細部まで正しいことではなく、その時代の空気を見る者に感じさせることです。

もしも、『グラディエーター』を見て、剣闘士に興味を持たれたら、ぜひ私の『帝国を魅せる剣闘士』（現在は『剣闘士《グラディエーター》　血と汗のローマ社会史』というタイトルで中公文庫から刊行されています）にも目を通してみてください。

読んでから再び映画『グラディエーター』を見ると、さらに楽しんでいただけるはずです。なぜなら、よくできた歴史映画は、歴史を感じさせるための細かな工夫が随所に施されているからです。歴史的事実を知っていると、より深く歴史映画を楽しむことができるということをきっと実感していただけることでしょう。

03 / 21

Red Cliff

『レッドクリフ』

レッドクリフ

一線を画す映像美で「赤壁の戦い」を描く

『レッドクリフ』は、ハリウッドで成功した中国人映画監督ジョン・ウー（呉宇森）による作品で、内容はタイトル通り、中国の三国時代に実際にあった「赤壁の戦い」を、羅貫中《らかんちゅう》の歴史小説『三国志演義』を基に、オリジナルのキャラクターやストーリーを織り交ぜて描いたものです。

全体は二部構成になっており、前編にあたる『レッドクリフ PartⅠ』（二〇〇八）と、後編にあたる『レッドクリフ PartⅡ 未来への最終決戦』（二〇〇九）を合わせると、五時間を超えるという超大作です。

ジョン・ウー監督の出世作は、香港映画界に新風を吹き込んだと言われる、一九八六年の『男たちの挽歌』。この作品の続編となる『ハード・ボイルド新・男たちの挽歌』（一九九二）がハリウッドで高く評価され、活躍の場をハリウッドに移した彼は、『フェイス／オフ』（一九九七）や『ミッション：インポッシブル２』（二〇〇〇）といったアクション作品で、その名を世界に知らしめていきました。

そして、ハリウッドで実績を積んだジョン・ウーが、満を持して挑んだのが「三国志」をテーマとした本作です。「三国志」は、彼が映画監督になったときから「いつか必ず撮る！」と心に決めていたテーマだったそうです。

アクション映画の名手として知られるジョン・ウーが撮った三国志、しかも日本人俳優も起用されているということで、この映画は、日本でも公開前から大きな話題となっていました。私も、日本公開時に映画館で見たのですが、アクションの迫力もさることながら、それまでの中国映画とは一線を画す映像美に、ジョン・ウーの力量の奥深さを感じたのを覚えています。

本稿を書くにあたって、私は久しぶりに『レッドクリフPartⅠ』『レッドクリフPartⅡ　未来への最終決戦』を一気に見直したのですが、公開から十五年近く経った今でもその魅力は全く色あせることなく、「ものすごく面白い！」と自信を持って言える作品でした。

ところが、中国では国産映画の興行収入記録を塗り替え、日本でも五〇億円を超える興行収入を上げた本作も、欧米では売り上げが伸びず、高い評価も得られませんでした。

正直に言うと、非英語作品で史上初めてアカデミー賞作品賞を取ったことで話題になった『パラサイト 半地下の家族』（二〇一九）よりも、『レッドクリフ』のほうが優れた作品だと個人的には思っているのですが、アカデミー賞にはノミネートさえされなかったのです。

とてもいい作品なのに、なぜ『レッドクリフ』はアカデミー賞を取れなかったのでしょう。今世紀初めという時期的な問題もあったと思いますが、最大の理由は、やはり「三国志」というテーマに対する認知度が欧米では非常に低かったからだと思います。

大ヒットした中国はもちろん、日本でも「三国志」は昔から馴染みのあるものです。劉備、関羽、張飛の三人が義兄弟の契《ちぎ》りを結ぶ「桃園の誓い」や、劉備が諸葛孔明を軍師に迎える「三顧の礼」、そして、この映画の舞台となっている魏の曹操と劉備・孫権連合軍が激闘を繰り広げる「赤壁の戦い」など、私ぐらいの年齢の日本人なら誰もが知っているものだと言えます。

羅貫中の『三国志演義』は読んだことがなくても、吉川英治や宮城谷昌光《みやぎたにまさみつ》、北方謙三などの小説で『三国志』を読んだという人は多いでしょう。横山光輝の『三国志』や、李學《イハ》仁《ギン》・王欣太《きんぐごんた》の『蒼天航路』など、マンガにもなっていますし、若い学生に聞くと、最近はゲームで三国志のストーリーに触れた、という人も多いようです。

『三国志演義』には、魏、呉、蜀という三国それぞれに、これでもかというほど多くの英傑が登場し、その英傑たちはそれぞれ素晴らしい個性を持っています。そしてその英傑たちが、繰り広げるさまざまなエピソードも心躍るものばかりです。

そうした群像劇が『三国志演義』の最大の魅力なのですが、認知度の低い欧米では、馴染みのない漢名の人物がたくさん登場するのがかえってわかりづらかったようです。

事実、この映画の製作秘話として次のような話があります。

三国志をテーマにした映画を作ると決めた当初、ジョン・ウーが最初に話を持ち込んだのは、当時活動していたハリウッドの映画会社でした。

ところが、映画会社は彼の企画を見てこう言ったのです。

「登場人物はこんなにいらない。曹操、劉備、関羽を一人にまとめて欲しい」

三国志のストーリーを知っている者にとっては、信じられない話ですが、ジョン・ウーとタッグを組んで映画製作の指揮を執ってきたテレンス・チャン（張家振）が、インタビューで語っていたことなので本当なのでしょう。

そんな事情もあって、ハリウッドでの製作を諦《あきら》めたジョン・ウーは、母国中国で『レッドクリフ』の製作を決めたのだと言います。

思い入れの強い「三国志」を描くのだから、一切妥協をしたくない。そうした彼の思いに賛同し出資したのは、やはり三国志をよく知る中国の映画会社と、日本のエイベックスでした。

三国志の長大なストーリー全てを一本の映画にすることはさすがに不可能です。どのエピソードを映画にするか、戦争の悲惨さと、単なる英雄譚ではなくヒューマニティーを描きたいとしたジョン・ウーが選んだのは、曹操の率いる大軍を、圧倒的少数の劉備・孫権連合軍が打ち破った「赤壁の戦い」でした。

実際の赤壁の戦いが起きたのは西暦二〇八年。ジョン・ウーはそれからちょうど一八〇〇年の区切りに合わせ『レッドクリフ』を公開したわけですが、もしこれが戦争が他人事ではなくなった今公開されていたら評価は違ったものになっていたかも知れません。

なぜなら、昨今の世界は戦争のむなしさや悲惨さ、戦争に伴う民衆の苦しみを現実として体験しているからです。そして、孔明や周瑜の姿は、圧倒的ともいえる力を持つ大国ロシアとの戦争に一歩も退かず戦うウクライナの人々の姿とも重なったことでしょう。

そうなれば、欧米でももっと高い評価を得られたのではないか……、と思う作品です。

羅貫中が『三国志演義』で描いた「史実の奥にある真実」

『レッドクリフ』の舞台となっている赤壁の戦いは、三世紀初頭の二〇八年に実際にあった戦いですが、ストーリーの基礎となっている『三国志演義』は、元末から明初にかけての作家、羅貫中が書いた歴史小説です。

『三国志演義』はあくまでも小説なので、登場人物は超人的な活躍をしたり、神がかった奇跡を見せたりもします。しかし、だからといって荒唐無稽なフィクションなのかというとそうではありません。

羅貫中は『三国志演義』を書くにあたり、三世紀末に陳寿《ちんじゅ》によって書かれた正史『三国志』と、当時すでに講談など庶民の娯楽の場で語られてきた逸話や、さまざまな伝承を丹念に照らし合わせたと言います。つまり『三国志演義』は、明らかな誤りは正史に基づいて正しつつも、さまざまな魅力的なエピソードは残すことで生まれた、極上の歴史小説なのです。

事実、東京大学で中国史を教えていた尾形勇先生は、私が『三国志演義』について尋ねたとき、「『三国志演義』は、もちろんエピソード的な部分はアレンジが加えられているが、歴史的基本事実は、正史と比べてもそれほど大きくは曲げられていない」と、語っておられました。

例えば、有名な劉備と関羽、張飛が三兄弟の契りを結ぶ「桃園の誓い」。

『三国志演義』に書かれている名台詞「我ら三人、生まれし日、時は違えども兄弟の契りを結びしからは、心を同じくして助け合い、困窮する者たちを救わん。上は国家に報い、下は民を安んずることを誓う。同年同月同日に生まれることを得ずとも、同年同月同日に死せん事を願わん」は、正史『三国志』には書かれていないので、羅貫中の創作でしょう。

でも、この三人が台詞に見られるような固い絆を持っていたことは事実だと考えられます。劉備、関羽、張飛の三人のうち、最初に命を落とすのは関羽ですが、このとき劉備がその死を嘆き、弔《とむら》い合戦を行っているからです。

二二〇年、関羽を討ち取ったのは、赤壁の戦いで連合軍として劉備と共に戦った孫権でした。当時の劉備は、孔明の「天下三分の計」を実現し、蜀漢皇帝に就いていました。赤壁の戦いの後、荊州《けいしゅう》は北部を曹操が、南部西側を劉備が、南部東側を孫権がそれぞれ領地としていました。共に曹操と戦った劉備と孫権は、一応同盟を結んではいましたが、その実、どちらも荊州南部の覇権獲得を目論んでいたのです。

しかし、劉備から荊州南部を任された関羽の守りは堅く隙がありません。そこで孫権は自分の息子と関羽の娘との縁談を持ちかけます。しかし、関羽はこれを拒否し、孫権の恨《うら》みを買ったと伝えられています。

その後、関羽が曹操の領土となっていた荊州の樊城《はんじょう》に攻めこむと、孫権はすかさずその背後を襲い、関羽を討ち取ったのです。これは、曹操側が持ちかけた策略だとも、孫権の恨みからだとも言われ真相ははっきりしませんが、孫権が討ち取った関羽の首を曹操に送り同盟を結んだのは事実です。

関羽を殺され、荊州を奪われた劉備の怒りは激しく、二二一年、呉への東征を決めます。しかし、途中で劉備と合流するはずの張飛は部下に寝首をかかれ、その後の戦闘（夷《い》陵《りょう》の戦い）の指揮は劉備自らが取るのですが、呉に大敗を喫し、劉備は逃げ込んだ白帝城で病を得、失意のまま二二三年に亡くなります。

このように劉備、関羽、張飛の三人は、「同年同月同日」という誓いの言葉通りにはいきませんでしたが、わずか数年の間に相次いで亡くなっているのです。

そういう意味では、逆にこうした史実から、羅貫中が「桃園の誓い」という美しいエピソードと言葉を紡《つむ》ぎ出したのかも知れません。

このように、『三国志演義』はフィクションを盛り込んだ小説ではあるのですが、いつ、どこで誰が亡くなり、誰と誰が同盟を結んだのかという「史実」は忠実に踏まえています。

でも、それだけではなく、正史では語られることのない「史実の奥にある真実」、つまりこのエピソードで言えば、劉備、関羽、張飛の間にあった固い絆、というものを伝えるかたちで物語を作り上げているからこそ、『三国志演義』は今に至るまで、多くの人に愛され、読み継がれているのではないでしょうか。

ジョン・ウーが『レッドクリフ』で描いた「史実の奥にある真実」

羅貫中は、正史や伝承、さまざまな史料にあたり、彼なりの「史実の奥にある真実」を見出し、『三国志演義』を書き上げました。

この「史実の奥にある真実」を描く、ということでは、ジョン・ウーも彼なりの真実を『レッドクリフ』に盛り込んだと言えるでしょう。

たとえば、『レッドクリフ』では、諸葛孔明と周瑜の友情が非常に美しい形で描かれています。というか、二人の信頼に基づく友情がなければ、赤壁での奇跡のような勝利はおろか、連合軍の結成すらおぼつかなかっただろうと思わせるほど、物語の重要な「肝」になっている部分です。

後半で、撤退した劉備軍が矢を持ち去った責任を問われた孔明が、三日で矢を一〇万本調達してみせると約束し、一方の周瑜は、曹操の陣で水軍の指揮官となった蔡瑁《さいぼう》と張允《ちょういん》の首を取ると約束し、共にその約束に自分の命をかけるというシーンが出てきます。

この不可能とも思える無謀な約束を、二人は見事にやってのけるのですが、その成功の陰には、お互いへの信頼とアシストがあったというジョン・ウーの描き方は実に見事なものです。

ところが二人の友情については、正史である陳寿の『三国志』にも、羅貫中の『三国志演義』にも、実は一言も書かれていないのです。

そもそも、周瑜の人物像が『三国志演義』では、あまり好人物には描かれていないのです。

周瑜の人物像については、『三国志』では、立派な風采を持ち、非凡な才能と寛大な性格の持ち主だったと、概《おおむ》ね好人物として記録されているのですが、『三国志演義』に登場する周瑜は、姿質風流、儀容秀麗な美男子とはしているものの、その人物像は諸葛孔明の才能に嫉妬《しっと》と恐れを抱き、暗殺を企てたあげく失敗するという、なんとも器《うつわ》の小さな男にされてしまっているのです。

恐らく羅貫中は、孔明を天才軍師として描きたいという思いから、周瑜を引き立て役に使ったのだと思いますが、実際の周瑜は、『三国志』にあるように、もっと度量の大きな人物だったのではないでしょうか。

ジョン・ウーは、『レッドクリフ』の周瑜のキャラクターが、『三国志演義』と大きく異なっていることについて聞かれたとき、「もし、『演義』に描かれていることが本当だとしたら、赤壁の戦いという名で知られる戦役を勝ち取れるはずはありません」「周瑜は広い心の持ち主で、諸葛亮の才能を非常に賞賛していました」と、答えています。

確かに、もし本当に周瑜が孔明に嫉妬していたら、赤壁での勝利はなかっただろうという言葉には説得力があります。

このように、きちんと史実として残っていることをつなぎ合わせるとき、それが事実かどうかは別にして、そこに描かれている人間関係や人物像が、「ああ、きっとそうだったのだろう」と、見るものに真実として訴えかけるようなリアリティを感じさせるものが『レッドクリフ』の周瑜と孔明の友情なのだと思います。

そういう「史実の奥にある真実」というものを、ジョン・ウーはこの作品の中で丁寧に取り出そうとしていたように思うのです。

愛の物語

こうしたことは、周瑜とその妻・小喬《しょうきょう》との愛の描き方にも感じられました。

実在の小喬については、あまり多くのことはわかっていません。

わかっているのは、橋公の娘で、大喬という姉と共に、呉に捕虜として連れてこられたこと。大喬と小喬は「二喬」と称されるほどの美人姉妹で、姉の大喬は孫権の兄・孫策に嫁ぎ、小喬は周瑜の妻になったということぐらいです。

『レッドクリフ』では、小喬が周瑜の子供を身ごもり、おなかの子に「平安」という名をつけていますが、二人の間に子供がいたかどうかさえ、わかっていません。

『三国志演義』では、周瑜を曹操との決戦にたきつけようとした孔明が、周瑜に「曹操が二喬を奪おうとしている」とほのめかす場面がありますが、『レッドクリフ』には姉の大喬は登場せず、曹操が狙うのは小喬一人という設定になっています。

『レッドクリフ』では、嫌な役どころの曹操ですが、実を言うと、私が三国志で最も好きなキャラクターは曹操なのです。

三国のリーダー、魏の曹操、蜀の劉備、呉の孫権は、それぞれ「天の時、人の和、地の利」を得たと言われているのですが、実在の曹操は運だけでなく、かなり人望のある人物だったと伝えられています。実際、『三国志演義』だけでなく正史もよく知っている中国人に聞くと、圧倒的に人気が高いのは曹操なのです。

私が曹操に魅力を感じるのは、武将として優秀なだけでなく、詩作などの文才にも優れ、その詩から人間的なキャパシティの大きさを感じたからです。ローマで言えば、曹操は英雄カエサルに匹敵する人物だったと言ってもいいとさえ思っているぐらいです。

そんな私にとって『レッドクリフ』の曹操は、小喬への思いに目が曇り、大事なところで「天の時」を逃して大敗を喫してしまうのですから、少々残念なのですが、美女を「二喬」まとめて奪おうとする好色な男ではなく、一度見かけた小喬の美しさに心を奪われ、なんとしても小喬を手に入れたいと願う、ある種の一途さを持った男として描かれたことは、不幸中の幸いでした。

史実と『三国志演義』と、その全ての要素が『レッドクリフ』には詰め込まれているのですが、ジョン・ウーの見出した真実と、その中で最も成功したキャラクターは、私は金城武《しろたけし》が演じた諸葛孔明でも、トニー・レオン（梁朝偉）が演じた周瑜でもなく、趙雲《ちょううん》と小喬だと思っています。

なぜなら、この映画で最もかっこよかったのは、間違いなくフー・ジュン（胡軍）が演じた趙雲だったからです。

冒頭の戦闘シーンで、背中に劉備の幼い男児である阿斗《あと》をくくりつけ、愛馬「白龍」にまたがり敵を蹴散らしながら走る趙雲のかっこよさと言ったら、とても言葉では言い表せません。

あのシーンでジョン・ウーは、曹操に「ああいう武将がわが軍にも欲しい」と言わせていますが、正に納得の一言です。恐らく、この映画の中でベスト3に入る名シーンだと思います。

蜀の英傑というと、関羽や張飛が有名ですが、常にその身を挺して劉備のために戦う趙雲は三国志には欠かせない存在です。ちなみに、夷陵《いりょう》の戦いに敗れた劉備を救い出し、白帝城まで落ち延びさせたのも実は趙雲なのです。

もう一人のキャラクター小喬は、演じたリン・チーリン（林志玲）に負うところが大きいと言えますが、彼女の素晴らしさは、文句なしの美しさです。見るものに、「ああ、彼女なら曹操が心を奪われても仕方がない」と思わせる美しさがなければ、このストーリーは成立しないからです。

ジョン・ウーは、『レッドクリフ』は「愛の物語」だと語っています。

主君への愛、夫婦の愛、友愛、勇気ある行動の根源としての愛、さまざまな愛の形が、「史実の奥にある真実」として描かれているところが、この作品が見るものを感動に誘う理由なのではないかと私は思います。

04/21

AGORA

『アレクサンドリア』
Blu-ray&DVD 発売中
発売・販売元：ギャガ

アレクサンドリア

キリスト教徒による迫害

映画『アレクサンドリア』（原題『AGORA』）が二〇〇九年に公開された（日本公開は二〇一一年）とき、多くの人々が衝撃を受けました。

私も衝撃を受けた者の一人ですが、これがスペインの作品だということも、その理由の一つでした。

当時、日本人の多くは、この映画の主人公ヒュパティアという人物を知りませんでした。彼女は四世紀から五世紀にエジプトのアレクサンドリアに実在していた女性で、哲学者であり、数学者・天文学者でもありました。

つまり、この映画は、史実をベースとした作品なのです。

実在の人物とはいえ、ヒュパティアについて記された史料は多くありません。生年も三五五年頃と定かではありませんが、亡くなった年は四一五年とわかっています。なぜ没年がわかっているのかというと、彼女は歴史的事件の中で悲劇的な殺され方をし、その死が多くの人に影響を与えたからでした。

彼女がどんな人物で、誰によって、なぜ殺されたのか。

この映画の監督アレハンドロ・アメナーバルは、四年以上の歳月をかけて当時ローマの支配下にあったアレクサンドリアの歴史や、ヒュパティアが情熱を注いだ天文学について調べを重ね、豊かな想像力を駆使してこの作品を完成させました。

ネタバレになりますが、この映画はむしろ史実を知ってから見たほうがより深い感銘を得られると思うので明かしてしまうと、ヒュパティアを迫害し、殺害したのはキリスト教徒でした。

キリスト教徒の迫害というと、多くの人は「キリスト教徒＝被害者」というイメージが強いと思うのですが、ここでは違います。ヒュパティアが迫害された側で、キリスト教徒が加害者なのです。

つまり、この映画は、キリスト教徒が知っていても公には語ろうとしない、キリスト教徒による迫害を描いた作品だということです。それをヨーロッパの中でも特にカトリック信者の多いスペインで製作されたということに、私は純粋に「すごいな」と思ったのです。

ローマ帝国内でキリスト教徒が迫害を受けたのは、基本的に三一三年にコンスタンティヌス帝がキリスト教を公認するミラノ勅令を出すまでです。これ以降、信仰を認められたキリスト教徒は、帝国内各地に教会を設立し、活動を活発化させていきます。

イエスがいた時代から、ミラノ勅令でキリスト教が公認されるまで、約三百年ありますが、その最初の約二百年間、実はキリスト教徒はほとんど増えていないと考えられています。

キリスト教徒が増加していくのは、三世紀になった頃からです。

なぜこの時期にキリスト教徒が増加したのか、明確な答えは出ていませんが、この時期のローマが「三世紀の危機」と呼ばれる非常に混乱した時代であったことが関係していると考えられています。

混乱の兆《きざ》しは二世紀後半、マルクス・アウレリウスの時代に発生した疫病から始まります。「ペッスム」と記録されたこの疫病の正体はわかっていませんが、ローマ帝国の全人口の三分の一が失われたと言われています。

三世紀の危機の原因としては、ゲルマン民族など異民族の侵入が挙げられることが多いのですが、私はこの疫病による人口減少が異民族の侵入を許し、それに対抗するための軍部の台頭がその後の軍人皇帝の乱立を招いたとみています。二三五年から二八五年まで五十年間続く軍人皇帝時代には、元老院で認められた正式の皇帝が二六人、非公式の皇帝まで入れると七〇人もの皇帝が乱立しています。

キリスト教徒は、そうした非常に不安定な時代の中で増加していったのです。

それは、多くの人々の命が疫病によって失われ、混乱する社会の中で、従来の神々に祈っても救われなかった人々が、より力強い神を求めた結果だったのかも知れません。

ヒュパティアがキリスト教徒に殺されるのは、ミラノ勅令から約百年後の四一五年。この間キリスト教徒は増えましたが、ひとくちにキリスト教徒と言っても、さまざまな分派が現れ、その信仰の内容をめぐって深刻な対立も生じていました。この争いを収めるためコンスタンティヌス帝が開催したのが、三二五年のニケーア公会議です。これによってイエスを神の子として、その神性を認めるものが「正統」なキリスト教とされました。

しかしこれで教派間の争いが絶えたわけではありませんでした。対立と混沌を残したまま、三九二年テオドシウス帝によってキリスト教はローマの国教となったのです。

ローマの国教となったことでキリスト教徒たちは、キリスト教の異端はもちろん、ユダヤ教徒や古代ローマの神々を信仰する人々を「異教徒」として弾圧していったのです。

ヒュパティアが殺された四一五年は、『告白録』や『神の国』などを著した古代最大の教父作家と言われるアウグスティヌス（三五四～四三〇）が生きていた時代です。

アウグスティヌスの思想は、ローマカトリック教会を、この世に「神の国」を出現させるためのものと位置づけるものでした。それまでの宗教は、国家や人々を守り恩寵を授けるものでしたが、彼はキリスト教教会を、世俗の国家を超越する存在と位置づけたのです。

そうした世界で、なぜヒュパティアという一人の女性哲学者が無残に殺されなければならなかったのか、映画『アレクサンドリア』は、キリスト教世界が目を背《そむ》けがちな歴史的事実に着目し、人間の感情や感性のうねりの変化というものが、いかに大きな力を持っているのかということを非常にうまく描き出した作品だと言えるでしょう。

天文学者として描かれたヒュパティア

映画『アレクサンドリア』のヒュパティアは、私たちの感覚で見ると哲学者と言うよりは天文学者と言うべき人物として描かれています。

宇宙の中心は、自分たちが住む地球だと信じられていた当時、彼女はさまざまな研究から、地球も太陽という中心の周りを回る惑星の一つなのではないかと考えるようになります。しかし、惑星の軌道を最も調和に満ちた「円」とする限り、その仮説は成立しません。どのように考えれば、現実の事象と惑星の動きが調和するのか。映画の中のヒュパティアは、この難問に取り組み、死の間際に「楕円軌道」という答えに到達します。

しかし、これはアメナーバル監督の描いたヒュパティアであって、実際のヒュパティアが何を研究していたのかは、はっきりとはわかっていません。

なぜなら、彼女の著作はほとんど失われてしまっているからです。彼女の著作で残っているのは、三世紀にギリシアの数学者ディオファントスが著した『算術』を注解したものぐらいですが、それもアラビア語訳されたものの一部が断片的に残っているにすぎません。

それでも彼女が優れた学者であったことは、映画の中にも登場する彼女の教え子の一人で、長じてキリスト教の司教となったシュネシオスが、彼女に宛てた書簡が伝えています。

ヒュパティアが生まれた四世紀半ば、キリスト教はすでに公認されていましたが、アレクサンドリアはまだ異教徒が大半を占め、神殿は人々であふれかえっていました。そんな時代の裕福な家庭に育ったヒュパティアは、神々を奉じる伝統的な宗教に彩られた教程のもとで教育されたことでしょう。

しかも、アレクサンドリアは、ローマ帝国の中でもアテネと並ぶ学術都市だったのですから、その知的水準は高く、洗練されていたことが窺えます。

異教とキリスト教の境界がまだ曖昧《あいまい》だった時代に学問の道を歩み始めたヒュパティアは、文法学校から修辞学学校へと進み、十代後半には数学と哲学を学び、二十代後半には父親と肩を並べる知識人に成長を遂げていたと言います。中でも数学の才能に恵まれた彼女は、三十歳になる頃には、アレクサンドリアで最も傑出した知識人として哲学塾の学頭となったのでした。

当時の女性は、どんなに才能に恵まれていても、名家の出身であっても、公的な職務に就くことは許されていませんでした。父の跡を継いで学頭となっても、その立場は「公共的知識人」の範疇《はんちゅう》を出るものではありませんでした。

そんな彼女を、アメナーバル監督が科学者的キャラクターとして扱っているのは、なかなか興味深い視点だと思います。

そもそも当時の哲学というのは、現在「科学」や「数学」という異なる分野に分類されている学問と密接に関連していたからです。実際、ヒュパティアの属したプラトン主義哲学では、プラトンやアリストテレスを学ぶ準備として、学生たちに数学を教えていたと伝えられています。

ヒュパティアが優れた数学者だったことは明らかですが、その数学の才能を活かし、今日「天文学」と言われる分野の研究を深めていたとしても何の不思議もないのです。

この映画では、宇宙から地球を眺めるようなカットや、雲の上からアレクサンドリアの街を俯瞰するようなシーンが度々登場するのですが、人間というのは、やはり自分の生きている世界が、そもそもこの宇宙の中でどのように成り立っているのか、ということに強い興味を抱くものなのではないでしょうか。

私自身、幼いときを振り返っても、空や宇宙についての疑問というのは、一番最初に芽生えた疑問だったように思います。

小学生のときには、小学生なりに、この宇宙はどう成り立っているんだろうと考えたのを覚えていますし、中学生・高校生になると、天体物理学の本を買って読んだりもしました。

その頃読んだ本に書いてあり、今でも強烈に覚えているのが、「もしも無限に見える望遠鏡があったら何が見えるのか？」という問いかけです。

もちろん無限に見えると言っても、厳密には光速度の問題があるわけですが、ここではそうした面倒くさいことは無視するとして考えるのですが、皆さんは何が見えると思いますか？

実はこれ、天文物理学者による答えなのですが、「自分の頭の裏側が見える」というものでした。

つまり、宇宙というのは空間が曲がっているので、直進していると思っていても、ずうっと進んでいくと一周するので、自分の頭の裏側が見えるというのです。

地球上をどこまでもまっすぐ歩いていくと、元の位置に戻るというのと基本的には同じです。

この当時の人たちは、そこまでのことは思いつかなかったにしても、自分たちが生きている地球がどうなっているのかというのは、多くの人が考えていました。

映画の中でも、異教徒を激しく弾圧するキリスト教の修道兵たちが、夜空を眺めながら、地球は丸いとか、いや、箱のような形になっているんだ、と言い合うシーンがありますが、きっと実際も、こうしてさまざまな人々がそれぞれの知識のレベルで、いろいろな地球の在り方に思いをめぐらしていたのだろうと思わせてくれる印象深いシーンでした。

ヒュパティアは、ギリシア的な学問の流れの中にある人であり、ギリシア哲学の始まりは自然哲学ですから、惑星の軌道という天文学的疑問を抱くのは十分にあり得ることなのです。

映画の中でヒュパティアは地動説の立場を取ります。地動説というと十六世紀のコペルニクスや十七世紀のガリレオが有名ですが、実際には天動説も地動説も紀元前の古代ギリシアにはすでに存在していました。『アレクサンドリア』の中でも失われた古代の学説として登場するアリスタルコスの地動説は、太陽を中心に五つの惑星が公転しているとする、当時としては極めて真実に近い形の学説だったことがわかっています。

映画の中のヒュパティアは、このアリスタルコスの地動説をベースに、さまざまな実験や観察を通して、その矛盾を解決するものとして、惑星の楕円軌道を発見します。

彼女は、この学問成果を公表することなく死んでいくわけですが、聖書の中に書いてあることのみが真実であり正しいことなのだと盲信するキリスト教徒の姿を描くことで、もし彼女が自らの発見を公表していたとしても、キリスト教が席巻する世界では、ガリレオがカトリック教会から異端と断じられたように、それが認められることはなかっただろうということを、見る者に印象づけています。

「神々の世界」から「唯一神の世界」へ

「愛の宗教」と言われるキリスト教ですが、その歴史を客観的に見る限り、非常に頑《かたく》なで、排他的な面を持った宗教だと言えます。そして、その頑なさは、キリスト教が「一神教」だというところに根ざしているのだと思います。

世界史の、あるいは人類史の大きな流れで言うと、たくさんの神々の存在が認められていた世界から、唯一神だけを神とする世界に転換していったと言えます。

これは一般的に「多神教から一神教へ」と言われる変化ですが、この映画は、それが現実の世界の中で起こったときに、どのようなことが起こるのかを描いたものだとも言えます。

神々の存在を認める世界というのは、多様性を持っているため、自分の信じる神を他人に押しつけることもなければ、他人の信仰に干渉することもしません。そうしたある種の

「寛容な精神」が、暗黙の了解のうちにある社会だと言えます。

これに対し一神教の世界は、自分の信じる神が唯一絶対の存在なので、他人に救いをもたらすという善意から他者にもその神を強要する上、他人の信仰する神を絶対に認めない「不寛容な精神」を有することになります。

先に取り上げた『ベン・ハー』では、周囲の人々がみな「神々の世界」にいる中で、ユダヤ教徒だけが非常に頑なに自分たちの神だけを神とする「一神教の世界」にいました。そのためユダヤ人たちは、ローマ人がどんなに脅してもすかしても、ローマ皇帝を神々の一人として認めることを頑なに拒絶します。

ただし、ユダヤ教の場合は、他人に自分たちの信仰を強要することはしませんでした。なぜなら、ユダヤ教は、ユダヤ人だけを対象とした民族宗教だからです。

ところが、同じ一神教でもキリスト教になると、自分たちの信じる神が唯一絶対であると信じると同時に、「神々の世界」そのものを否定するようになってしまいます。その結果、どうしても異質の神々を信じる者たち、あるいは信じていなくても唯一神の絶対性を信じない者を、許しがたい者と考えるようになってしまうのです。

この映画の舞台となっている四世紀末から五世紀にかけてのローマ帝国というのは、正にこの「神々の世界」から「一神教」の世界へと移り変わっていく過渡期でした。そして、それは同時に、ローマ帝国からかつてのローマらしさが失われ、帝国そのものが東西に分裂し、衰退していく時代でもありました。

ローマ帝国が衰退していった理由として、よく言われるのがゲルマン民族の侵入ですが、実はゲルマン民族の流入は、何もこの時期に限った出来事ではなく、それ以前からゲルマン民族はもちろん、いろいろな異民族がローマには侵入していました。それがこの時期に限って問題となったのには、もちろん侵入してくる異民族の量という問題もあるのですが、それと同時にローマ側にも彼らの侵入を許せなくなった事情があったことが窺えます。

その事情というのが、ローマ人がクリスチャンになっていったことで、異民族の神々を信じるゲルマン民族を、許し難い存在と見なすようになったことも一つの要因です。

もちろんキリスト教への改宗が要因のすべてだとは思いませんが、この時期にローマ人らしさが失われていった原因の一つだと私は思います。

ここで言う「ローマ人らしさ」は、「古代人らしさ」と言ってもいいのですが、それは「神々の世界」に根ざしたものと言っていいと思います。自分の信仰は信仰で大切にするが、だからといって他人の信仰には口を出さない。そういう意味での寛容さというのが古代には存在していたからです。

事実、ローマ帝国の繁栄を支えていたのは、征服した異民族に対し、彼らの信仰の自由を保障し、言語や文化も敢えて強要しないという、異なる文化をまるごと飲み込んでいく「寛容さ」でした。

歴史に「もしも」は存在しませんが、もしもローマ人がかつての寛容さを持ったローマ人であれば、ゲルマン民族とローマ人は、あそこまで対立的になることはなかったのではないか、と思うのです。

現代人であるわれわれは、愛の宗教と言われるキリスト教に対し、漠然と「寛容な宗教」だというイメージを持っているように思います。愛があれば他人にも優しくできるし、受け入れられるはずだ、と考えるからです。

ローマ人にとっての「寛容さ」は、ローマに恭順を示した者に与えられるものであって、敵に対して示されるものではありませんでした。実際、カエサルは降伏した敵に対しては、それなりの寛容さを示していますが、恭順を示そうとしない敵は徹底的に弾圧しています。

キリスト教は「汝《なんじ》の敵を愛せよ」と、敵そのものを愛さなければいけないと説きます。これは、ある意味、寛容なる精神以上に、許容の精神があるように思えます。でも、もしかしたら愛と寛容はイコールではないのかも知れません。

現実のキリスト教は寛容ではないからです。

キリスト教は、異教の神の存在を決して認めず、キリスト教への服従を求め、それに応じないものは力尽くで排除しています。

そんなキリスト教の「不寛容」が、いち早く、そして顕著に現れたのが、ヒュパティアの虐殺だったと言えるのかも知れません。

この映画の中でのヒュパティアの最期は、キリスト教の修道士たちに捕らえられ、衣服を剝ぎ取られたあと、彼女に思いを寄せるダオスの機転で得られたわずかな猶予の中、修道兵たちに石つぶてでなぶり殺しにされる前に、ダオスの手によって静かに絶命するという、せめてもの尊厳が守られた形にしていますが、歴史が伝えている彼女の最期はとても残酷なものです。

四一五年三月、ある一味のキリスト教徒の群衆が路上に繰り出し獰猛《どうもう》な気分でいたとき、たまたま外出したヒュパティアに巡り会います。ヒュパティアは補らえられ、衣服と体は陶片で引き裂かれ、目はえぐり出され、その骸《むくろ》は路上で引き回されたすえ、燃やされたというのです。

十八世紀のイギリスの歴史家、エドワード・ギボンがその著書『ローマ帝国衰亡史』の中で記した最期は、「彼女を裸にして、カキの貝殻で生きたまま彼女の肉を骨から削ぎ落として殺害した」というさらに過酷なものです。

いずれにしても、彼女が非業の死を遂げたことは事実ですが、彼女の死が明確な意図のもとに行われた凶行だったのかというと、必ずしもそうとは言い切れないようです。

恐らくキリスト教徒たちが当初考えていたのは、ヒュパティアにエジプト総督オレステスへの助言をやめるよう脅すつもりだったのではないか、というのが最近の研究に基づく見解だからです。そういう意味では、彼女の死は、たまたま彼女が外出したときに、たまたま獰猛な気分になっていた過激なキリスト教徒の集団に出会ってしまったという不幸な偶然の産物だったのかも知れません。

ダイナミックに変化する時代の感性

ヒュパティアが生きた世界は、女性が平等らしきものを享受できる社会ではありませんでした。それでも、覚悟さえあれば、才能ある女性が自由に振る舞える余地はありました。ここで「覚悟」と言ったのは、その自由には犠牲が伴ったからです。ヒュパティアはその犠牲を払ってでも、学問の道に生きることを選んだ強い女性です。

彼女が払った犠牲とは、生涯純潔を守り、結婚しないことを公言することでした。

こうした覚悟さえあれば、自由に振る舞う余地があったということは、当時のアレクサンドリアの社会に、ある意味で非常にオープンな面があったということです。

しかし、こうしたオープンさは諸刃《もろは》の剣《つるぎ》でもありました。なぜなら、言論の自由がある程度まかり通るということは、誰かが言いたい事を言いだすことで、社会全体が一気にポピュリズムに走る危険性を内包しているということでもあるからです。

そうした社会で、ヒュパティアはアレクサンドリア図書館の学頭の立場を父から受け継ぎ、当時の知識人としての役割を果たしました。

アレクサンドリアの図書館は、古代世界における最大の図書館であるとともに、「ムーセイオン」と称される研究機関の一部でもありました。

アレクサンドロス大王の死後、エジプトを治めたプトレマイオス一世（在位前三〇五～前二八三）によってその創建が始められ、プトレマイオス二世（在位前二八五～前二四六）の治世に広く文献の蒐集が行われたこの図書館は、最盛期には五〇万冊もの蔵書数を誇ったと言われています。

しかし、このアレクサンドリアの大図書館は、時代と共に衰退し、紀元前四八年の内戦の際、ユリウス・カエサル率いるローマ兵が放った火が燃え広がったことで、被災してしまいます。このとき図書館が受けた被害がどれほどのものか正確に伝える史料はありませんが、火災から二十年後に地理学者のストラボンがアレクサンドリアを訪れた際、図書館が付属したムーセイオンを訪れた記録が残っているので、図書館が何らかの形で再建されたことだけはわかっています。

その後もアレクサンドリア図書館は、度重なる戦乱の中で縮小と破壊が繰り返され、ヒュパティアの時代の図書館は、かつて世界一を誇った蔵書量とは比べようのない状態であったと考えられています。

それでもアレクサンドリアの守護神セラピスを祀った神殿セラペウムにあったこの時代の図書館は、アレクサンドリア市内では最大の蔵書量を有し、多くの学者が集い、教育の現場として命脈を保っていました。

私はかつてセラペウムの遺跡を訪れたことがあり、ここでどのような学問の現場が繰り広げられていたのか思いを馳せたことがあります。

恐らくアメナーバル監督もこの映画を撮るにあたり、同じようにその場に立ちイメージを膨らませたのではないでしょうか。

ヒュパティアが、男女、年齢、信仰を問わず、ともに学ぶ者たちを「兄弟」として講義を行う様子のシーンは、学問の現場の一つの理想型として非常に印象深く私の心に刻まれました。

もちろんその様子は、あくまでもアメナーバル監督の解釈であって、現実のヒュパティアがどのような講義を行ったかはわかっていません。しかし、シュネシオスの書簡を見る限り、ヒュパティアとその教え子たちが強い絆で結ばれていたことは明らかです。

ところで、ヒュパティアの公的活動をやめさせようとした理由が、男尊女卑の意識に根ざしたものなのか、あるいは古代の文化に根ざした思想に対する攻撃だったのかはわかっていないのです。しかし、少なくともアメナーバル監督が、キリスト教の教えの中に存在する男尊女卑の思想が、その後のキリスト教社会で女性の公的活動の機会を脅かす存在となったのではないか、という捉え方をしていることは確かでしょう。

私個人は、ヒュパティアの非業の死は、キリスト教会の腐敗やギリシア的理性の終焉、あるいは宗教的原理主義の芽生え、といった局面の中で偶発的に起こった事件だと捉えています。ですから、彼女を悲劇のヒロインや聖女として扱うのは、少し行き過ぎだと思っています。

それでもこの映画が大きな感動を与えてくれるのは、非常に短期間の一世代の間に人間の感性が変わっていくという歴史の実態を、実感させてくれる作品だからです。そして、それこそが、私がこの映画をいろいろな人に見ていただきたいと思う、最大の理由でもあります。私たちが考える以上に、人間の感性は時としてダイナミックな変貌を遂げます。

その変化はネガティブなものに限りません。本稿では一神教の頑なさに言及しましたが、それだって、これから多神教的な要素が含まれて寛容なものに変化する可能性だってあり得るのです。

事実、今世界はＬＧＢＴや差別の撤廃など、自分と異なる人々を許容していこうという方向へ、ゆっくりとですが大きく動いています。

そういう意味では、古代の「神々の時代」に人類が享受していた寛容さというものも、これからは見直されていくのかも知れません。

中世

05／21

Braveheart

『ブレイブハート』

ブレイブハート

スコットランド独立運動の原点

『ブレイブハート』(原題『Braveheart』)は、監督・主演メル・ギブソンによる、十三世紀末に実在したスコットランド独立戦争の英雄、ウィリアム・ウォレスの生涯を描いた、一九九五年のアメリカ映画です。

スコットランドでは、独立と自由のために戦った愛国者として有名なウィリアム・ウォレスですが、日本では、この映画で彼の存在を初めて知ったという人も少なくないでしょう。というのも、ウィリアム・ウォレスは、世界史の教科書には載っていないからです。

ウィリアム・ウォレスは、スコットランド独立戦争の初期に活躍した人物ですが、貴族でなかったため史料が少ないうえ、イングランドの歴史を中心とするイギリス史では、残念ながら、彼は農民反乱の頭目で、イングランドに捕まって処刑された、ということぐらいしか書かれていません。

では、メル・ギブソンは、なぜウォレスを主人公とした映画を撮ろうと思ったのでしょうか。

メル・ギブソンというと、オーストラリアの映画『マッドマックス』シリーズや、アメリカの『リーサル・ウェポン』シリーズなど、派手なアクション映画の印象が強い俳優ですが、歴史にも強い興味を持っており、本作の他にも二〇〇四年にはイエス・キリストの最期の十二時間を描いた『パッション』という作品を製作しています。

そんな彼は、アメリカ生まれですが、その血筋はアイルランド系で、幼い頃、アイルランド人の祖母から、スコットランド独立のために戦ったウィリアム・ウォレスの物語を聞いたことが、この映画の製作に繋がったと言われています。

アイルランドの血を引く彼が、なぜスコットランドの英雄を？　と思われるかも知れません。実はアイルランドもスコットランドも、共にイングランドに征服・支配された辛い歴史を持っています。

日本では「イギリス」という呼び名が定着していますが、その正式名称は「グレートブリテン及び北アイルランド連合王国／United Kingdom of Great Britain and Northern Ireland」、長いので通常は頭文字をとって「ＵＫ／ユーケー」という略称が使われています。この名前からもわかるように、イギリスは一つの国ではなく、複数の国が同じ君主を戴く連合王国です。

イギリスを構成する国は「イングランド」「スコットランド」「ウェールズ」「北アイルランド」の四つで、スコットランドはブリテン島の北部に位置しています。

これは現地に行ってみるとよくわかるのですが、イングランドとスコットランドでは、同じブリテン島でも気候風土が大きく違います。イングランドは平地となだらかな丘陵地が広がっていますが、スコットランドに入ると山が険しくなり、北のほうへ行くとゴツゴツとした荒々しい山岳地帯へと様変わりします。こうした気候風土の違いも影響しているのでしょう、現在は一つの国家となっているスコットランドとイングランドですが、現実にはそれぞれ固有のナショナリズムを有しています。

実際、二〇一四年にスコットランドでイギリスからの独立の是非を問う住民投票が行われたのは、ご記憶の方も多いのではないでしょうか。

このときの住民投票では、賛成四四・六五%、反対五五・二五%と、僅差で独立は否決されました。その後、イギリスがＥＵ離脱を決めたことで、残留を希望する者が多かったスコットランドでは、最近再びイギリスからの独立を望む声が高まってきていると言われています。

このように、イングランドとスコットランドの関係は、必ずしも良好とは言い難い部分があるのですが、その原因はやはり両国の歴史にあります。

そういう意味では、『ブレイブハート』は、イングランドとスコットランドの、長きにわたる確執の原点を描いた映画と言ってもいいでしょう。

スコットランド王国が形成されたのは九世紀頃ですが、イングランドは当初から、領土的野心を持ち、侵攻と和議を繰り返してきました。

そうした中、スコットランドは王家の婚姻や人々の交流を通じて、イングランドの文化を受け入れ、独立した国家という体裁ではありましたが、次第にイングランドの宗主権を認めるようになっていました。

ところが一二八六年、一つの事件が起きます。

イングランドと良好な関係を維持していたスコットランド王アレグザンダー三世が、落馬事故で亡くなってしまったのです。王に男子の跡継ぎはなく、王位を継承したのは、アレグザンダー三世の娘がノルウェー王に嫁いで生まれた、当時三歳のマーガレットでした。

ここで素早く動いたのがイングランド王・エドワード一世でした。スコットランドの領土を狙う彼は、自分の四歳の息子エドワードとマーガレットの結婚をごり押ししたのです。スコットランドの重臣たちは、この要求を撥ねのけることができず、結婚に同意したのですが、スコットランドへの移動中、マーガレット女王は亡くなってしまいます。

こうして空位となったスコットランド王位をめぐって、王家の傍系親族による争いが生じます。内戦に発展することを恐れた重臣たちは、この争いの調停を、よりによってエドワード一世に依頼してしまいます。

調停の条件にエドワード一世は、調停内容に服従することと、空位の間のスコットランド統治権を要求します。スコットランド諸侯から承認を取り付けたエドワード一世は、アレグザンダー三世の摂政の息子であるジョン・ベイリャルを王位に就けることを決めますが、これは傀儡《かいらい》といっていいものでした。

しかしそのベイリャルも、過酷な兵員動員や屈辱的な臣従についに堪えかね、一二九六年にイングランド軍と対戦するものの大敗を喫してしまいます。その結果、ジョン・ベイリャルは廃位させられ、スコットランドは、イングランド人総督の支配下におかれてしまうのでした。

ウィリアム・ウォレスが歴史に登場するのは、このようにして、スコットランドがイングランドに主権を奪われていた時代でした。

緻密なこだわりとフィクションのバランス

この映画の製作を決めた当初、メル・ギブソンは、ウォレス役には自分よりも若い俳優を起用するつもりでした。しかし、若手俳優の起用に二の足を踏んだ製作会社の希望で、自らが主演を兼ねることになったといいます。

当時メル・ギブソンは三十代後半、歴史上のウォレスより十歳近く上であることを気にしていたと言いますが、ウィリアム・ウォレスは、メル・ギブソンが数多く演じた役の中でもはまり役だと言っていいと思います。

メル・ギブソンは、歴史映画を製作するときは、事前に時代考証を非常に細かく検証することで知られています。当時使われていた言語や衣装、建物や小道具なども徹底的に調べ上げるのだそうです。

事実、二〇〇四年に彼が製作した『パッション』では、イエス・キリストと弟子たちは当時彼らが使っていたアラム語で話し、ローマ人たちはラテン語を話すという細かい演出が成されています。

『ブレイブハート』でも、日本人にはわかりにくいですが、スコットランド人役は訛《なま》りのある英語をわざと使ったり、フランス人であるイザベラが侍女と話をするときはフランス語を使うというように、かなり言葉にはこだわっています。イザベラ役にフランス人であるソフィー・マルソーを起用したのも、そうした言葉に対するこだわりがあったからなのかも知れません。

こうした話し言葉のイントネーションの違いは、ネイティブにはすぐわかるそうです。

それを象徴するのが、『007（ダブルオーセブン）』シリーズの主役、ジェームズ・ボンドです。実は、最初にボンド役を演じたショーン・コネリーがスコットランド出身であることに誇りを持っており、アクセントの矯正を拒んだことで、当初原作にはなかった「ボンドの父親はスコットランド人」という設定が、後から付け加えられているのです。

メル・ギブソンはアメリカ生まれオーストラリア育ちなので、スコットランド訛りの発音は、ネイティブの人に言わせるとあまり上手くないようですが、頑張ってスコットランド訛りの英語を使っている、ということです。

とはいえ映画ですから、メル・ギブソンも全てを時代考証に合わせているわけではありません。『ブレイブハート』にも、歴史家から見たら明らかな間違いはたくさんあります。

例えば、ウォレスをはじめとするスコットランドの人々は「キルト」というスカートのような民族衣装を身につけています。しかし、民族衣装としてキルトが用いられるようになったのは十八世紀頃からと比較的歴史が浅い上、スコットランドの中でも「ハイランド」と呼ばれる北部の人たちの衣装です。

映画の舞台は十三世紀、しかもイングランドと国境を接する「ローランド」地方なので、人々がキルトを日常的に着ていたということはなかったと思われます。

それでもキルトを衣装に用いることに意欲的だったメル・ギブソンは、伝統的な職人を総動員して、できるだけ古いタイプのタータンチェックのキルト生地を織らせています。

古い時代のキルトは、一枚の大きな布地で、お腹の部分だけを平らなままにして、両腰からお尻にかけてはプリーツにたたみ、ウェスト部分をベルトで縛って着丈を調節し、ベルトより上の部分は肩に回しかけるというシンプルなものでした。映画の中で、雨の中、この肩にかけた部分をウォレスが頭からかぶるというシーンがありますが、実際こうした古いタイプのキルトは、寒いときは体に巻き付けたり、寝るときは毛布のようにくるまったりと、いろいろな使い方がされていたようです。ですから、時代考証という意味では、即していませんが、古い時代のキルトがどのようなもので、どのような使われ方をしていたのかは、きちんと検証して作品に活かしているということが言えるのです。

戦闘の前に、スコットランド兵がこのキルトをまくり上げて、股間や尻を見せて敵を侮辱・挑発するというシーンがあります。かなりインパクトのあるシーンで、あんな行儀の悪いことを戦場で本当にしたのだろうか、と思いましたが、ああいったことが行われたのは事実のようです。

まあ、考えてみれば、当時のスコットランドの兵は、ほとんどが農民で粗野な人々ですから、テンションが高まったときにはそういうこともしたのでしょう。そもそも、当時の戦いというのは、多かれ少なかれ野蛮で残酷なものなのです。

戦闘シーンといえば、映画ではスターリングでの戦いは、広大な原野で繰り広げられています。映画の山場でもあり、CGではなく多くのエキストラを使って撮影した、なかなか臨場感のあるシーンに仕上がっていますが、実際のスターリングでの戦いは、「スターリング・ブリッジの戦い」という名で知られる、幅の狭い橋を舞台に繰り広げられた戦いでした。ウォレスの軍が数の上では明らかに劣勢だったにもかかわらず、この戦いに勝利できたのは、この細い橋を上手く利用し、イングランド軍を分断したためだと言われています。

また、このシーンでは、ウォレスとその仲間たちが、顔に青い絵の具でペイントしているのも非常に印象的でした。これについては、メル・ギブソン自身がメイキング映像の中で、実際にはスコットランドではなく、古代ケルトの風習だが、かっこよく、画面映えすると思って採用したと語っています。

このように『ブレイブハート』は、実際の歴史とは異なっているところも多い作品であることは事実ですが、作り手が、作品を通して伝えたいものを表現するのに、最も適切なものを虚実織り交ぜて表現できるのが映画の醍醐《だいごみ》味の一つなのですから、私はこれはこれでいいと思っています。

中世の未開性

『ブレイブハート』は、見る人によって、さまざまな印象を持つ映画だと思います。すでに述べたように、スコットランドの独立問題という、いまだに解決しきっていない、民族間の確執の原点に触れることができる作品だという点でも大きな意味を持っていると思います。

しかし、私がこの作品をお勧めする最大の理由は別のところにあります。それは、これが「中世の未開性」を見事に描き出している映画だという点です。

本書ではこれまで、古代を舞台にした映画を何本かご紹介してきました。それらの作品を少し思い出してみてください。

例えば『ベン・ハー』は、『ブレイブハート』より約千三百年も前の時代が舞台です。『グラディエーター』は約千年前。それほど時代が経っているのに、登場人物の姿や建築物、人々の生活を見比べてどうでしょう。

あまり進歩していないどころか、むしろ文化的に後退しているように感じるのではないでしょうか。

イングランド軍だって、スコットランド軍よりは洗練されていますが、ローマ軍と比べると、あまり進歩しているようには見えません。

ウォレスの生まれた村に至っては、石を積み上げ、無造作にわらで蓋《ふた》をしただけの貧しい住まいが並んでいます。色彩も暗くくすんだ色合いが多く、森の緑のほうが明るく見えるほどです。

これはスコットランドに限ったものではありません。中世のヨーロッパは、全体的に経済力が弱く、国力は衰えていたのです。そこには古代ローマ帝国の繁栄の面影すら残っていません。

メル・ギブソンは、緻密な時代考証をもとに、そうした中世の暗さや、未開性を、見事に映像化しています。

では、なぜ中世のヨーロッパは、これほど貧しく、暗く、未開になってしまったのでしょうか。

一つの要因は人口の減少です。

ローマ帝国時代、ローマは一〇〇万人以上の人口がありましたが、中世のローマの人口は、最も少ないときは五万人まで減ったと言われています。その後、少し増えるのですが、それでもせいぜい一〇万人ほど。つまり、ローマ帝国の時代と比べると、人口は約一〇分の一ほどになっているのです。

こうした人口の減少が起きていたのは、ローマの街だけではありません。中世ヨーロッパ社会全体で人口が大きく減少しているのです。こうした人口減少は、紀元一〇〇〇年ぐらいで底を打ち、その後は徐々に増加に転じていくのですが、それでも十三〜十四世紀のヨーロッパの社会規模は、ローマ帝国の時代のそれには遠く及ばないのです。

では、なぜそれほど人口が減ったのでしょう。

これはローマ帝国の滅亡にも通じることでもあるのですが、最大の要因は「気候変動」です。五世紀頃から六世紀にかけて、地球規模の寒冷化が生じ、食物の生産力が大きく落ち混んでいるのです。

食物生産力の指標に、穀物の種一つから、何粒の穀物が収穫できたか、というものがあります。

古代オリエントで栄えたシュメール文明（前五五〇〇頃〜前三五〇〇頃）では、一粒の麦から、約七〇粒の麦が収穫できたという記録が残っています。

ところがこれが中世ヨーロッパでは、一粒からわずか四〜五粒ぐらいしか収穫できなかったのではないかと言われているのです。

もちろんヨーロッパとメソポタミアでは緯度がかなり違うので、単純に比較はできませんが、中世ヨーロッパの食物生産力が古代と比べて大きく落ち込んでいたことは推測できます。

気温が下がるだけでも生産力は大きく低下しますが、ヨーロッパの場合、その緯度の高さも災いしました。農作物の栽培には北限があるからです。寒冷化はこの北限を南下させます。つまり、緯度が低く比較的暖かい地域では、収穫量の減少で済んだ被害が、緯度の高い地域では、収穫自体が望めなくなってしまうのですから被害は甚大です。

そして、近代以前においては、農作物の栽培と文明には大きな関係がありました。ローマ帝国の場合は、ぶどうが栽培できる地域までが文明圏で、それができない地域は非文明圏と言われていました。

ドイツでも、ライン川の南側はぶどうが栽培できるけれど、北側ではぶどうがあまり採れないということで、彼らは今でも冗談で、ラインの南側は文明地域で、北側は野蛮な地域だと言うことがあるほどです。どのような農作物がどれぐらい採れるのか、ということは、文明の大きな指標になっていたそうです。

『ブレイブハート』の舞台となっているイギリスは、ローマやドイツのライン川領域より遙かに北に位置しています。そのため、寒冷化の影響は、ヨーロッパの中でも大きかった地域と言えます。

ブリテン島南部に位置するロンドンでさえ、緯度は五一度。北海道の札幌の緯度が四三度だと言えば、イギリスがいかに北方に位置しているかわかるでしょう。ウォレスの生まれ故郷とされるスコットランドのレンフルーシャーの緯度は五五度。映画の中で、ウォレス自身が自らを「野蛮人」と称すシーンがありますが、当時のスコットランドが、非文明圏だと言われても、こうした状況を考えると、ある意味仕方のないことだったのです。

ウォレスの戦いが意味するもの

地球規模の寒冷化によって生じた、生産力の低下と農作物の栽培北限の南下は、人口減少と同時にその質の低下、つまり文化度の低下も招きました。

それを顕著に示しているのが「識字率」、つまり文字を読み書きする能力の低下です。

今のようにアンケート調査ができるわけではないので、正確な割合はわかりませんが、中世ヨーロッパの識字率が古代ローマ時代と比べて遙かに低いものであったことは、容易に推察できます。

なぜなら、古代ローマでは、ある程度資産を持った家では子供には家庭教師がつけられていましたし、街には読み書きをわずかな金額で教える人々がいたこともわかっています。しかし、中世ヨーロッパでは貴族や王でも、そのほとんどが読み書きができませんでした。

当時、読み書きは、今で言う特殊技能のようなもので、貴族はそうした技能を持った人を雇っていました。そのため、自分では読み書きができなくても、手紙を書くときにはしゃべったものを書き取らせ、手紙を貰ったときは、読める者に読ませていたのです。読書なども、読める者に「音読」させて聞くのが当たり前だったので、自分で読み書きできなくても、それほど困ることはありませんでした。

実際、西暦八〇〇年にブリテン島を除く西ヨーロッパを支配下に置いたフランク王国のカール大帝は、読み書きができたということが記録に残っているのですが、わざわざそんなことが伝わっているということは、逆に言えば、読み書きができることが、当時の貴族や王の中ではむしろ例外的だったからなのです。

カール大帝は、文芸復興に努め、教育にも力を注ぎますが、結局、そうした努力は定着せず、中世全体としては識字率は低下し続けることになります。

『ブレイブハート』の時代には、識字率も少しずつ上昇してきていましたが、それでも決して高いと言えるものではありませんでした。

そうした時代に、貴族でもない一般庶民のウィリアム・ウォレスが、読み書きの能力に加え、フランス語とラテン語までできたというのは、事実らしいのですが、かなり稀有《けう》なことだったと言えます。

映画では、スコットランドの各地から集まった人々が、普通に会話をしていますが、当時はたとえ自国語であっても、みんなが同じように話せたわけではありません。というのは、当時は標準語などという発想すらない時代だからです。

人々、特に農民は、ほとんど移動することなどなく、地元の村で現地の言葉を使って会話をしていたはずです。教会の司祭や、ちょっとした知識人になると、ラテン語をいわばヨーロッパ全体の共通語として活用していましたが、ほとんどの人々は、現地の言葉しかわからなかったでしょう。

残念ながら、ウォレスがいつどのようにしてこうした語学や知識を身につけたのかはわかっていません。でも、ウォレスがある程度教養を身につけていたことが、彼がリーダーにのし上がっていく一つの理由になっていたと思われます。

この映画では「自由／Freedom」という言葉がキーワードとして何度も出てきます。最初は亡くなった父親が夢の中で、愛する妻を殺されてからは、自分の、そして仲間の自由を勝ち取るために戦い、スターリングでの戦いに勝利した後は、ロバート・ブルースに「国民の自由のために戦え」と訴えます。そして、イングランドに捕まり、反逆者として生きながら腹を割かれ、内臓をえぐり出されながら、最期の瞬間にウォレスが絞り出すようにして叫んだのもこの言葉でした。

現代人にとって「自由」とは、イングランドの支配からの脱却や、民族自決という意味で、わかりやすいメッセージですが、恐らく当時イングランドと戦ったスコットランドの人々には、そうした明確な意識はまだなかったのではないかと思います。

私たちは今、ケルト人とかゲルマン人とかいうように、「種族」という意識をもって人々を分類しますが、恐らく当時は「スコティッシュ」、つまりスコットランド人という意識を持っていた人がどれぐらい存在していたのかというと、はなはだ疑問です。

貴族たちがそれぞれの利権だけを考え、イングランドになびいたり、ウォレスに味方したりと、ころころと態度を変えるのも、スコットランド人という明確なアイデンティティを持っていなかったからに他なりません。

そういう意味では、このウォレスの戦いは、スコットランドの自由を勝ち取るための戦いというよりも、ウォレスとともに戦う中で、スコットランドの人々が、初めて自分たちはスコットランド人であるという自覚を持つようになった戦いだった、と言ったほうが実態に近いのではないかと思います。

06/21

The Name of the Rose

『薔薇の名前』

薔薇の名前

原作は中世のエキスパートでもある哲学者が書いた推理小説

この映画は、イタリアの哲学者にして、美学者、記号学者、文芸評論家、エッセイスト、そして作家という、非常に多くの才能に恵まれたウンベルト・エーコによる同名の小説『薔薇の名前』（原題『Il nome della rosa』）（一九八〇年出版）を映画化した作品です。

この映画について語る前に、原作者であるウンベルト・エーコという人物と原作について少し触れておきましょう。

エーコは一九三二年、イタリア北西部のピエモンテ州南部に位置するアレッサンドリアという町で生まれました。その後、トリノ大学で中世の哲学・美学を学び、学位を取りますが、そのまま学者にはならず、公共放送局のイタリア放送協会（ＲＡＩ）で文化番組の制作に携わります。エーコが自身の最大の研究テーマ「記号」に深い興味を持ったのは、この頃のことだと言われています。

一九五六年からはトリノ大学で講義を行うかたわら、博士論文の延長と言える自身最初の著書『Il problema estetico in San Tommaso』（邦題『中世の美学 トマス・アクィナスの美の思想』慶應義塾大学出版会）を、一九五九年には『Sviluppo dell'estetica medievale（中世美学の発展）』を著し、中世思想家としての地位を確立させました。

さらに、一九七一年からは、ボローニャ大学で記号論を教え、一九七五年に『Trattato di semiotica generale』（邦題『記号論I・II』岩波書店）を著すと、エーコは世界の記号論の中心人物の一人と目されるようになります。

そんなエーコが四十八歳のときに書いた初めての小説、それが『薔薇の名前』です。すでに学者として高名だったエーコは、なぜ小説を書いたのでしょう。

その答えは、エーコ自身の言葉によれば「理論化できないことは物語らなければならない」からだと言います。つまり、小説というフィクションの世界を用いることでしか伝えられないものがあるからだということです。

『薔薇の名前』は、十四世紀の北イタリア、ベネディクト会の修道院を舞台に起こる連続殺人事件を、この修道院を訪れたフランチェスコ会修道士バスカヴィルのウィリアムと、見習い修道士アソドの師弟コンビが探偵役となって謎解きを行うという、一種の推理小説です。

エーコが『薔薇の名前』を出版する際、ある版元の社主から「あまり売れないだろう」と言われたそうなのですが、蓋《ふた》を開けてみればイタリア国内だけでなく、世界各地で翻訳されベストセラーとなりました。エーコは二〇一六年に八十四歳で亡くなりましたが、その時点で『薔薇の名前』は、なんと全世界で五五〇〇万部を超える売り上げを記録しているのです。

とはいえ、小説『薔薇の名前』は、八〇〇ページを越える長編作品である上、謎や仕掛けが幾重にも織り込まれた重層的な構造になっているため、難解な作品でもあります。さらに深く理解するためには、キリスト教における「異端と正統」が論じられた時代背景など、中世の歴史的、宗教的知識も必要とされます。

そうした難解な小説を五五〇〇万部ものベストセラーにした陰の立役者とも言えるのが、映画『薔薇の名前』だと言っていいでしょう。

映画が公開されたのは、小説が発表された六年後の一九八六年。

原作に惚れ込んだフランス人映画監督のジャン・ジャック・アノーが、エーコを口説き落とし、同じく、いやアノー以上に原作に惚れ込んだプロデューサーのベルント・アイヒンガーとともに、四年の歳月をかけこの映画は作り上げられました。

ジャックとベルントの二人は、エーコの作品世界を細部まで忠実に映像化するために、莫大な費用と手間を惜しみませんでした。映像の中に登場する衣装や小道具は、すべて中世当時と同じ材質と過程を経て作られたものですし、出演者たちの頭髪も、当時の修道士たちと同じく地毛を剃髪しています。中には、この「トンスラ」と呼ばれる当時の剃髪を拒んだため、キャストから外された役者もいたそうです。

もちろんどれほどこだわっても、さすがに八〇〇ページ近い原作をそのまま映像化することは不可能なので、映画化にあたってのストーリーや設定は、原作と全く同じではありません。エーコ自身、映画について尋ねられたとき、「解釈によって生まれた別の作品」だと語っています。

それでも忠実に映像化された「中世世界」のインパクトは絶大なものがあります。実際、小説を読んだ人が映画を楽しみ、映画を鑑賞した人がその後、原作を手に取るというかたちで、小説『薔薇の名前』と映画『薔薇の名前』は、異なる作品でありながら、互いの作品に相乗効果をもたらしたのです。

背景としての「正統と異端」をめぐる問題

この物語の舞台は、一三二七年の北イタリアの修道院です。

一三二七年のヨーロッパというと、ペストが流行《はや》る少し前です。ヨーロッパはペストの流行によってかなり悲惨な状態になっていくので、このときは中世といっても、まだマシな時代だったと言えます。

それでも当時の農民たちは、「農奴」と呼ばれる重税と重労働を強いられる生活を送っていました。映画の中でも、厨房係のレミージョが、修道院生活の十二年間で、「たらふく飯を食い、女と交わり、貧農から十分の一税を搾り取った」と言うシーンがあります。

十分の一税とは、『聖書』に記された言葉を論拠に、すべての農作物の十分の一を教会に納めるよう農民に課した一種の税金のようなものです。十分の一というと一〇%ですから、現在の所得税と大差ないように思うかも知れませんが、農民は領主に対し賦役《ぶえき》や貢納の義務を負っており、それとは別に教会に納めなければならなかったのがこの十分の一税なので、かなり大きな負担であったことは間違いありません。

経済的基盤を持ち、政治的な繋がりを持つことによって、巨大化した教会は、次第に国王をしのぐ権力と財力を持つに至ります。

これはどんな組織にも言えることですが、組織が大きくなればなるほど、その内部には腐敗も生じやすくなります。キリスト教教会もこの例に漏れず、巨大になればなるほど、華やかになればなるほど、その内部に腐敗が生じていきました。

しかし、腐敗が生じると、今度はそれに対抗する勢力として、腐敗をただそうとする勢力も生まれます。最初にこうした改革の動きが見られたのが、十世紀フランスのクリュニー修道院で始まった修道院運動です。

クリュニー修道院は、六世紀に修道院を創設したベネディクトゥスが掲げた厳格な戒律を守ることで、修道院を本来の質素で霊性の向上を目指す場に戻すことを目指しました。

この動きはやがて教皇庁にも広がり、改革派教皇の先駆けと言われるレオ九世（在位一〇四九～一〇五四）から、グレゴリウス改革を断行したグレゴリウス七世（在位一〇七三～一〇八五）へと受け継がれていきます。

しかし、聖職売買と聖職者の妻帯などを禁じたグレゴリウス改革は、一方で神聖ローマ帝国の皇帝ハインリヒ四世との間で聖職叙任権をめぐる争いを生み出すこととなります。なぜなら、中世封建社会において聖職者の任命権は国王や諸侯といった俗人が有していたからです。聖職者といえども、当時は上位に行けば所領を持ち裕福な生活が送れました。そのため任命して貰うために金銭のやりとりが一般化し、事実上の聖職売買が横行していたのです。

その結果、信仰心を持たず、俗人と同じように妻帯する聖職者が増加し、教会の腐敗を招いていました。

グレゴリウス七世は、こうした教会内にはびこる腐敗を正すために、金銭で地位を得たり、妻帯をしている聖職者を罷免《ひめん》すると共に、俗人の聖職叙任権を否定するという改革を行ったのですが、聖職売買で利益を得ていた国王や諸侯はこれに強く反発しました。

この教皇と国王らの間の対立は、一〇七七年、神聖ローマ帝国皇帝が教皇に跪《ひざまず》く「カノッサの屈辱」事件を引き起こし、結果的に教皇権の拡大を招くことに繋がります。

また、グレゴリウス改革で禁じられた聖職売買は、それまでも続いてきたキリスト教における「正統と異端」をめぐる問題とも深く関わっていました。

この正統と異端をめぐる問題については、堀米庸三の『正統と異端』(中公文庫)が詳しいので、ご興味のある方はそちらをご覧いただくことをお勧めします。

ごく簡単に言うなら、聖職売買や妻帯が理由で罷免された聖職者が、その任にあったときに行った「秘蹟」、つまり聖職者の手を通じてキリストが行ったものと考えられている洗礼などの聖なる行為は有効なのか無効なのか、ということです。この問題は紛糾を極め、解釈をめぐって多くの「異端派」を生み出すことに繋がります。

この問題が解決を見るのは、教皇インノケンティウス三世(在位一一九八~一二一六)の時代ですが、これにより教皇の権力は頂点へと達します。彼が公の席で「教皇は太陽であり、皇帝は月である」と言ったのは有名な話ですが、この時期の教皇の権力はヨーロッパ諸国の王権を完全にしのぐものとなっていました。

では、秘蹟をめぐる問題が解決したことで、正統と異端をめぐる問題はすべて解決したのかというと、答えはノーです。むしろ教会による異端の取り締まりは、インノケンティウス三世の時代からより一層厳しくなっていったのです。

インノケンティウス三世は、人々に異端を告発することを義務化し、教皇直属の異端審問官を設け、教会裁判制度を施行します。

映画の中でも、この裁判制度に基づく異端審問の様子が再現されていますが、その実態は私たちが「裁判」という言葉からイメージするものとは大きく異なり、非公開、密告、拷問が認められた上、被告に対する弁護すら認められていないという、極めて一方的で恐ろしいものでした。

もう一つ、この映画を見る上で知っておきたいのが、バスカヴィルのウィリアムが所属するフランチェスコ会についてです。

先述の『正統と異端』には、フランチェスコ会の創始者アッシジのフランチェスコと教皇インノケンティウス三世の会見の様子がとても印象的に記されています。

　一二一〇年、早春のある日のことである。中世ローマ法王権の歴史にかつてない権勢の一時代を画した法王イノセント三世は、ラテラノ宮の奥深い一室で、見なれぬ一人の訪問者と話しあっていた。この訪問者は、やせぎすの中背、やや中高の細面、平たく低い前額の下には一重の黒目がのぞき、鼻と唇はうすく、耳は小さくとがり、頭髪もひげもうすい。変哲がないというより、むしろ貧相なこの訪問者を特徴づけていたのは、しかし、そのやわらかな物腰と、歌うようなこころよい声音であった。だが、その風態は少なからず変わっている。長い灰色の隠修士風のマントは、腰のあたりで荒縄でしばられており、裾からとび出している足は裸足である。

(堀米庸三『正統と異端』中公文庫　一七～一八ページより引用)

もともと豊かな商人の家に生まれたフランチェスコは、神の啓示を受けて、家を捨て、奉仕と祈りという清貧な生活を行うようになります。そんな彼のもとに人々が集まるようになり、彼が托鉢による修道会を立ち上げたのは一二〇八年のことだと言われています。

当時は、もともと厳格な戒律の厳守を掲げ、修道院運動の旗手とされていたクリュニー修道院も、教皇権力と結びついたことで華美な儀式を行うようになっていました。そんな時代に登場したフランチェスコ会の徹底した清貧は、教会の改革を望む人々の心を捉えました。やがてそれは、教皇も無視できないものとなり、先の「会見」に至ったのです。

この会見によって、フランチェスコ会はその活動が正統なものとして教皇に認可されます(正式な認可は一二二三年)。しかし、フランチェスコ会が正式な認可を得たことで、教会には新たな問題も生じました。それが、正に映画の中でフランチェスコ会と教皇特使によって討議される「キリストの清貧」をめぐる問題です。

この清貧をめぐる問題は非常に重層的で、清貧生活を守り教会財産を貧者に施すべきだとするフランチェスコ会と、教会財産を守ろうとする教皇との間での対立の他にも、フランチェスコ会の中でも、一二二六年にフランチェスコが亡くなると、より厳しく清貧を主張する厳格派と、比較的緩やかな穏健派に分かれて対立が生まれていきます。

ちなみに、映画の中で重要な役割を果たす厨房係のレミージョとサルヴァトーレがかつて属していたドルチーノ派も、一二六〇年に創設された極端な清貧を主張した会派ですが、裕福な聖職者を批判したことで異端宣告を受けています。その後も彼らは活動を続けますが、独自の終末論を唱えるように変質していったことで教皇との対立をさらに深め、ついには武力衝突にまで発展し、一三〇七年に壊滅しています。

キリスト教に馴染みの薄い日本人にとっては、少々わかりにくい話だと思いますが、こうした歴史的背景を知ると、この映画をより深く楽しむことができると思います。

原作の設定と、映画のキャスティングの妙

映画の舞台となっている一三二七年は、教皇権が頂点に達したインノケンティウス三世の時代から百年ほど後、ヨハネス二二世（在位一三一六〜一三三四）が教皇だった時代です。

この時代の教皇庁はローマではなく、フランスのアヴィニョンにありました。なぜそのようなことになったのかというと、これもまた長い紆余曲折《うよきょくせつ》があるので、ごく簡単に言うと、何世紀も続く教皇とヨーロッパ諸国の王家との勢力争いの中で、新たな教皇の座所をアヴィニョンに移してしまったからです。

すると、教皇不在となったローマは、かねてから領土争いをしていた神聖ローマ皇帝に侵略され、教皇はローマに戻りたくても戻れない状況となっていたのです。この教皇の次の教皇がヨハネス二二世です。

そして神聖ローマ皇帝は、教皇との対立から、清貧問題で教皇と対立するフランチェスコ会を擁護する立場に回ります。

映画の中で、異端審問官ベルナール・ギーと対立した過去を持つウィリアムに対し、フランチェスコ会の面々が、「今度何かあれば、もう皇帝でも君を救えないぞ」と言うシーンがありますが、それは、こうした事情があってのことなのです。

中世の専門家であるエーコは、もちろんこうした時代背景に精通していたので、登場人物の中に、実に巧みに実在の人物、あるいは実在の人物をモデルとした人を組み込んでいます。

例えば、ウィリアムは舞台となる修道院でウベルティーノ・ダ・カサーレというフランチェスコ会の老修道士と再会を喜びあいますが、これは実在の人物でフランチェスコ会の中でも厳格派の頭目と言える人物なのです。

異端審問官としてギーがやってくることを知ると、フランチェスコ会の仲間は急いでこの老修道士を逃がしますが、それは当時の教皇庁が、厳格派に異端宣告を行っていたからでした。教皇庁は異端とした厳格派ですが、フランチェスコ会としては、厳格派が最もフランチェスコの教えを忠実に継承していることはわかっていたので、彼らを異端とも正統とも断ぜず、曖昧《あいまい》な立場を維持していました。だから、そっと逃がしたのです。

一方のギーも、実在の異端審問官で、『異端審問の実務』という本を書いたことで知られています。映画の中で、マーリー・エイブラハム演じるギーは、かなり残酷な人物として描かれていますが、実在の彼はむしろ拷問には否定的だったとも言われており、もちろん映画のような最期を遂げたわけでもありません。

事件の謎を解くバスカヴィルのウィリアムという、いかにもシャーロック・ホームズを彷彿とさせる名前の人物にも、実はモデルと考えられる実在の人物がいます。それは、オッカムのウィリアムと呼ばれるフランチェスコ会の修道士です。オッカムのウィリアムは、信仰と理性、教皇権と王権の区別を厳格にすべきと説いたことから、近代的な経験論哲学の端緒を開いたと評されている人物です。まさに中世のホームズ役にぴったりのキャスティングと言えます。

オッカムのウィリアムもイギリス人ですし、シャーロック・ホームズは実在の人物ではないものの、やはりイギリス人です。そういう意味では、ショーン・コネリーは正にはまり役だったと言えるでしょう。しかもショーン・コネリーが演じたことで、映画のウィリアムには、さらにジェームズ・ボンドの要素まで加わるというおまけまでついたと言えます。

とはいえ、実はこのキャスティングは監督やプロデューサーがしたものではなく、ショーン・コネリー自らが売り込んだものだったことがメイキング映像で明かされています。そして、オーディションでの圧巻の演技でウィリアム役がショーン・コネリーに決まったときには、原作者のエーコも驚いたと言うのですから面白いものです。

キャスティングで言うと、この映画で印象的なのは、なんとも個性豊かな修道士たちの容貌でしょう。

異様に色が白く、頭髪はおろか体毛もほとんど見られない副図書館長のベレンガーリオ（ミカエル・ハベック）。異様なまでの威圧感を放つ盲目の長老ホルヘ（フェオドール・シャリアピン・Jr.）。黒人系の浅黒い肌を持つギリシア語翻訳者のヴェナンツィオ（ウルス・アルトハウス）。そうした個性的な人々の中でもひときわ異彩を放っているのが、背中に瘤があり、歯がほとんど抜け落ちたサルヴァトーレ（ロン・パールマン）でしょう。

ロン・パールマンは、監督のジャン・ジャック・アノーが、前作となる『人類創世』で起用したお気に入りの俳優ですが、そのほかの多くの俳優は、ヨーロッパ各地の劇団などを回って探し出した選りすぐりの俳優たちです。

一人ひとりの個性を際立たせたのは、衣装が同じ修道服であり、時にはフードもかぶるため、容貌の個性を際立たせないと区別がつかないからだと監督は語っていますが、私に言わせれば、中世という時代、特に修道院といった場所には怪物的な要素は、神という光を際立たせる闇の存在として不可欠なものなので、こうしたキャスティングとメイクが中世の修道院の雰囲気を、実に効果的に演出していたと思います。

また監督は、人物を区別するために、一人ひとりが話す英語のアクセント（訛《なま》り）にも個性を持たせたと言いますが、残念ながら日本人である私たちにはそこはわからない部分です。

十二世紀ルネサンス

すでに少し触れましたが、『薔薇の名前』の謎を解くカギは、この修道院で禁書とされていたギリシア語で書かれた一冊の写本にあります。

誰のどんな本なのか。

なぜ禁書とされたのか。

本と連続殺人はどのような関わりを持っていたのか。

これは映画の謎解きと深く関わることなので、映画を見てのお楽しみということにしておきますが、当時なぜ教会で写本が盛んに行われていたのかということについて、触れておきましょう。

ある時点から、古代からの多くの書物を破壊したキリスト教ですが、その後、中世ヨーロッパにおいて熱心に書物を蒐集し、写本を制作したのもキリスト教の修道院でした。

なぜ中世の修道院で盛んに写本が制作されたのでしょう。そのきっかけとなったのは、実は十字軍でした。

十一世紀の末から十三世紀にかけて、キリスト教教会は聖地奪還を掲げて、イスラム世界へ多くの兵を派遣しました。これにより、ビザンツやイスラム文化に触れることになるのですが、その中にヨーロッパの人々が失った、古代ギリシアの文化や哲学についての古典が数多く残されていることを再発見することになるのです。

イスラムは、地中海世界に入り込んだときに、ギリシアの文化のレベルが非常に高いことを知っていたので、それを吸収するためにいろいろな文献を手に入れたり、アラビア語に翻訳したりしていたのです。

こうして、かつてアレクサンドリアにあった古代ギリシア・ローマの叡智は、ヨーロッパでは失われていましたが、イスラム世界で生き延びていたのです。十字軍は、ヨーロッパがそれを再発見するきっかけとなった、ということです。

中世ヨーロッパの教会は、こうして十字軍を通じてヨーロッパが再輸入した古代の文献を研究、写本する場所となっていったのです。

これは十四世紀以降に花開くルネサンスに先立つものとして、「十二世紀ルネサンス」と名付けられ、近年ではヨーロッパにおける思想の転換点として注目されているものです。

一つ言えるのは、十二世紀から十三世紀にかけて、ビザンツやイスラム経由で多くの情報が、古代ギリシア・ローマのものも含めて大量にヨーロッパに流れ込み、そうしたものを研究する動きが広まっていったということです。

こうした動きから、中世ヨーロッパに誕生したのが、いわゆる「大学」です。当初の大学が、教会付属の教育施設として誕生したのもこうした流れを受けてのことです。

とはいえ、こうして流れ込んできたすべての情報を、教会がすべてそのまま受け入れたわけではありませんでした。

ギリシア哲学の場合が典型的なのですが、ギリシア思想、ギリシアの宗教は、やはり神々の世界のものなので、教会は、情報がそのまま世に出ることを警戒し、一度自分たちの手元に集め、精査・研究した上で、キリスト教の教義に合わないものについては禁書とする動きがあったことも事実なのです。

二度と再現できない貴重な写字室の映像

映画『薔薇の名前』は、中世を演出するさまざまな要素がふんだんに盛り込まれた名作ですが、中でも私が最も感動したのは、写字室の光景と、美しい写本の数々でした。

私のように古代の歴史を専門としていると、時々史料を読んでいて、とてつもない感動を覚えることがあります。なぜなら、今自分が読んでいる文献は、それを後世に残そうとした先人の努力の賜《たまもの》であることがわかるからです。

中世ヨーロッパにおける写本作りは大変な作業でした。

まず、本と言ってもこの時代の素材は紙ではありません。「羊皮紙」と言われる羊や牛の皮を加工したものが使われていました。

動物の皮が用いられたのは、それが手に入りやすい素材であったからだと言えますが、動物の生皮を羊皮紙に仕上げるのには多くの工程が必要です。

完成した羊皮紙は適度なしなやかさがあり、丸めて保管することもできます。非常に耐久性があり、保存状態が良ければ千年以上長持ちすると言います。

中世の修道院では、写本のためにこうした羊皮紙を作る専門の職人を雇い、羊皮紙の制作から行っているところもありました。

映画の中でも動物の処理風景が出てきます。特に説明はなされていませんが、あれは羊皮紙制作の過程を意味しているのかも知れません。

ここまでも大変な作業ですが、写本作りはここからが本番です。

羊皮紙からとれるページ数は、A４サイズで約四枚ほど。一冊の本を作るのにどれほどの数の動物の皮が必要とされたのかと考えると怖くなるほどです。

写本担当の修道士たちは、まず羊皮紙に罫線を引きます。この罫線は筆写するテキストによって、もちろん一つひとつ異なります。挿絵や装飾が施される場合は、その部分もあらかじめ罫線で区切られ、文字と装飾が重ならないようにスペースが区切られます。

罫線が引かれたら、文字を一字一字書き写していくのですが、このとき用いられる羽根ペンやインクも手作りでさまざまな工夫がなされました。

映画『薔薇の名前』では、こうした中世の写字室の風景が忠実に再現されています。写字室の机の上には、インク壺に羽根ペン、罫線を引くための定規に、ペン先を削るための小型のナイフ、さらに羊皮紙を磨くための石まで置かれています。物語の重要な役割を果たす写本に至っては、すべて当時と同じ製法で写本作りをしている修道院に、この映画のために作って貰ったものだと言います。

昔ながらの製法なので、一ページ作るのに六カ月から一年の歳月と、莫大な費用が費やされました。美しい挿絵に用いられた絵の具も、当時と同じく砕いた宝石や金が用いられました。

これは、メイキング映像で監督が語っている裏話なのですが、最初に殺されたアデルモが挿絵を描いた写本のページがアップで映るシーンがあるのですが、撮影当日、この大切な写本が現場から紛失してしまい、泣く泣くもう一度、一から作成しなければならなくなったのだそうです。

とはいえ、すぐにできるものではないので、完成までには六カ月を要し、このカットはなんと映画公開の二週間前に撮影されたというのです。

現代になってから作られたものとはいえ、撮影に使われた写本は非常に精巧なものなので、撮影が終了した後は、ヨーロッパの有名図書館や個人の収蒐集に引き取られたというのも頷けます。

ヨーロッパの図書館は、蔵書がどれぐらいあるかというのも、ステータスの重要な要素ですが、特に大学の図書館では、写本をどれだけ保有しているのか、ということが大きな決め手の一つとなっています。

なぜなら、写本は唯一無二のオリジナル史料だからです。

『薔薇の名前』には、そうした貴重な写本が作られていた世界が、見事に再現されています。

ほんの一瞬、それも遠景で写字室の風景に溶けこむようにさりげなく置かれているようなものもすべて、この映画では当時と同じ材質、製法で作られているのです。

そういう意味で、この映画の写字室のシーンは、おそらく映画史上二度と再現できないのではないかと思うほど貴重な場面だと私は思うのです。

この映画をご覧になるときは、ぜひこうした写字室や写本も、注意深く見ていただきたいと思います。

近世

07/21

A Man for All Seasons

『わが命つきるとも』
デジタル配信中
DVD 発売中
発売・販売元：ソニー・ピクチャーズ エンタテインメント

わが命
つきるとも

宗教改革の時代

一九六六年に公開された『わが命つきるとも』(日本公開は一九六七年)は、『真昼の決闘』(一九五二)や『ジャッカルの日』(一九七三)で知られるアメリカ人映画監督フレッド・ジンネマンと、『アラビアのロレンス』(一九六三)の脚本を手がけたイギリスの劇作家ロバート・ボルトがタッグを組んだアメリカとイギリスの合作映画です。

アメリカのアカデミー賞では、八部門でノミネートされ六部門受賞、そのほか、英国アカデミー賞、ゴールデングローブ賞、ニューヨーク映画批評家協会賞など、欧米で非常に輝かしい受賞歴を持ちながら、日本では今一つ知名度が高くありません。その理由は、恐らくこの作品世界の歴史的背景がよくわからないからだと思います。

映画の舞台は、ヘンリー八世(在位一五〇九~一五四七)治世のイギリス。

主人公は、ヘンリー八世に仕え、王の信任厚く、法律家として最高位の大法官に任じられながら、その後、王への反逆罪に問われ処刑されたトマス・モアです。

トマス・モアというと、その著書『ユートピア』が有名ですが、この映画は、すでに『ユートピア』を書き上げ、人文学者として名を馳せたモアが、宮廷に出仕し、裁判官を務めている頃から始まります。

もちろんヘンリー八世やトマス・モアについて知らなくても、この映画を楽しむことはできますが、この映画は、歴史を知っていることを前提に作られているので、やはり歴史的背景を知ってから見ると、作品の面白さが何倍にも大きくなることは間違いありません。

まず知っておいていただきたいのは、この作品の舞台となっている十六世紀前半のヨーロッパの宗教事情です。

中世に王権をしのぐ権力を誇った教会は、ドイツのマルティン・ルターや、スイスのカルヴァン派による宗教改革の大波に揺れていました。ヨーロッパキリスト教世界は、旧来のカトリック教会と新教プロテスタントに二分され、宗教的対立はそのまま国家的対立をも引き起こしていったのです。

ヘンリー八世は、もともとはルターの宗教改革を批判し、時の教皇レオ一〇世から「信仰の擁護者」という称号を与えられるほど熱心なカトリック信者でした。しかし、ある出来事をきっかけに、カトリック教会と激しく対立し、自らを首長とするイングランド国教会を分離独立させることになります。

そのきっかけとなった事件こそ、この映画でモアがヘンリー八世への反逆罪に問われる原因となった、国王の離婚・再婚問題でした。

ヘンリー八世は、その生涯に全部で六人もの妻を娶《めと》っています。当時、多くの愛人や愛妾《あいしょう》を持った国王はいますが、正妻を六人も娶るというのは異例のことでした。なぜなら、当時キリスト教は離婚を認めていなかったからです。とはいえ、いつの世も「抜け道」はあるもので、教会の最高権威者であるローマ教皇の許可があれば、結婚を無効（事実上の離婚）にすることができました。

そもそも、なぜヘンリー八世に離婚問題が生じたのかというと、最初の妻であるキャサリン・オブ・アラゴンとの間に、世継ぎとなる男子が恵まれなかったからでした。二人の間には王女メアリーがあり、イギリスでは王女の王位継承権も認めていましたが、男子のほうが正統と見なされていました。しかもヘンリー八世はチューダー朝二代目の王で、前王室ランカスター朝の血統を受け継ぐ者がいたため、チューダー朝を安定させるためにも、ヘンリー八世はどうしても男子の世継ぎが欲しかったのです。

宗教改革の嵐が吹き荒れる中、信仰の擁護者という称号まで授けたヘンリー八世の頼みなら、教皇が離婚を認めても良かったのではないか、と思うかも知れませんが、ここには事情がありました。

実はキャサリンは、もともとヘンリーの兄であるアーサー王太子の妻だったのですが、結婚してわずか二週間でアーサーが急死してしまったのです。当時、若くして未亡人になった女性は持参金と共に帰国するのが常でした。しかし、キャサリンの祖国であるスペインはフランスとの戦争にイギリスの援軍を期待し、イギリスはキャサリンの持参金返却を惜しんだため、両国は婚姻関係の維持を画策しました。

しかし、兄弟の妻を娶ることは禁忌《きんき》とされていたため、この結婚は教会の許可が得られません。そこでヘンリー八世は、実際の婚姻、つまり二人に肉体関係はなかったと主張することで、教皇からこの禁忌を免除する特許を半ば無理矢理に取り付けたのでした。

教皇がヘンリー八世からの「この結婚を無効として欲しい」という、事実上の離婚の承認を決して認めなかったのは、こうした経緯があったからでした。この結婚を無効と認めることは、教皇の特許を踏みにじり、その権威を貶《おとし》めることにもなりかねないからです。

名優たちの演技が光る名作

この映画には、派手なシーンは登場しません。それどころか、むしろ淡々とした会話を中心に物語が静かに進んでいきます。

刺激的な映画に慣れた人には、最初は少々退屈に映るかも知れませんが、俳優陣の高い演技力に支えられ、次第にまるでこの時代にタイムスリップして、歴史の現場を覗《のぞ》き見ているかのような感覚を味わうことができる作品です。

主人公トマス・モアを演じたポール・スコフィールドは、舞台中心に活躍していた俳優ですが、演技に大げさなところはなく、人間トマス・モアの強さと優しさを非常に上手く演じています。

公では毅然とした裁判官であり、たとえ相手が国王であっても、一度決めたことは命をかけて貫き通す強い信念を持っていますが、私的には良き夫であり、父であり、必ずしも誠実とは言い切れない使用人に対しても寛大な人間であり続けます。そんなモアを演じたポール・スコフィールドは、この作品でアカデミー賞主演男優賞を受賞しています。

彼は、映画の出演本数はそれほど多くありませんが、一九九四年に製作されたアメリカ映画『クイズ・ショウ』では、心ならずも出演したクイズ番組で八百長をしてしまうチャールズの父で、実在の詩人でもあるマーク・ヴァン・ドーレンを演じ、アカデミー賞助演男優賞にノミネートされている、まさに演技派の俳優です。

しかし、私がこの映画で最も惹かれたのは、ヘンリー八世を演じたロバート・ショウの好演でした。

ヘンリー八世は、有名なエリザベス一世（在位一五五八〜一六〇三）の父親にあたる人ですが、自分の妻六人のうち二人を斬首しているという、非常に残酷な人物です。

この映画では、前半部分に登場するだけで、出演シーンは多くないのですが、特にモアの自宅を訪れた時の演技は圧巻です。

ちょっと見はとても陽気で、いつも大勢の取り巻きを引き連れて、毎日が宴会のような日々を過ごしていたと言われるヘンリー八世。モアの自宅を訪れたときも、大勢の取り巻きを引き連れています。楽しい川遊び風景にも見えますが、取り巻きたちは王の本質が非常に残酷なことを知っているので、常に王の機嫌を損ねないようにピリピリしています。

そのことが、台詞ではなく、船から降り立つシーンでは見事に演じられています。また、モアと二人で庭を歩きながら話をするシーンでは、ころころと話題を変えながら、急に激高して怒鳴ったり、態度を軟化させたり、めまぐるしく豹変する演技で、ヘンリー八世という国王のエキセントリックな人物像とその残酷さを見事に印象づけているのです。その難しいヘンリー八世という役を、彼ほどイメージ通りに役作りされたものを、私は後にも先にも見たことがありません。

彼はバイプレイヤーとしての好演が目立つ俳優で、すぐに思い出すだけでも、『007（ダブルオーセブン）』シリーズ第二作『ロシアより愛をこめて』のジェームズ・ボンド（ショーン・コネリー）の敵役の殺し屋や、『スティング』でヘンリー（ポール・ニューマン）とジョニー（ロバート・レッドフォード）にはめられるギャングのボス、ドイル・ロネガン、そして、スティーヴン・スピルバーグ監督の『ジョーズ』では、地元のサメハンター、クイントなど、多くの名作映画で好演を見せています。

その後、彼は車を運転中に心臓発作を起こして五十一歳の若さで亡くなっています。早世が惜しまれる、ものすごく良い役者だと思います。

離婚するためにイギリス国教会を立ち上げたヘンリー八世

実在のヘンリー八世は、ロバート・ショウよりも長生きし、五十五歳で亡くなります。

前述のとおり、彼は生涯に六人の妻を持ちますが、彼が切望した男子を産んでくれたのは、三人目の妻ジェーン・シーモア一人だけでした。

最初の妻キャサリンは、一五一〇年からの八年間で六人もの子供を産んでいます。その中には男子もいたのですが、無事に育ったのは娘のメアリー(後のメアリー一世)一人だけでした。

その間も艶福家《えんぷくか》であったヘンリー八世は、愛人に子供を産ませています。その子供の中には認知した男子もいましたが、庶子に皇位継承権は認められません。彼が皇位継承権を持つ男子を得るためには、どうしても正妻に男子を産んで貰う必要があったのです。

死産や流産を繰り返すキャサリンに見切りをつけたヘンリー八世は、当時熱を上げていたアン・ブーリンが、「結婚しなければ決して体を許さない」という態度に出たこともあり、キャサリンとの離婚を強く意識するようになります。

しかし、すでに述べたとおり、教皇はキャサリンとの離婚を決して認めようとしませんでした。そのため彼は、カトリック教会からイギリスの教会を切り離し、国王を首長とするイギリス国教会を立ち上げるという荒業に踏みきるわけです。

もしこれが、もう数十年前だったら、恐らくヘンリー八世も、そこまでのことはしなかったでしょう。

しかし、このときヨーロッパ各地で宗教改革の嵐が吹き荒れ、教会の権威は失墜していました。それまでヨーロッパの国王たちを恐れさせてきた、カトリック教会からの破門という教皇の「伝家の宝刀」は通用しない時代になってしまっていたのです。

とはいえ、他のプロテスタントのようにカトリック教会に教義的な不満があるわけではないので、イギリス国教会はその教義内容も儀式も、ほとんどカトリック教会のものを踏襲しています。最大の特徴は、国王をイギリス国教会の長とすることを「国王至上法（首長法とも）」という法律によって定めていることです。

映画の中で、反逆罪に問われたトマス・モアが裁判にかけられ、「被告は王の国教会首長を否定した」と問われ、モアは、「していない。私はただ沈黙しただけだ」と答えていますが、それはこの法律に対して問われているのです。

だからこそモアは、「法廷では沈黙は承認と解す。だから私の沈黙も承認と見なすべきだ」と、あくまでも法に対する判断を求めているのです。

もちろん彼が沈黙を貫いたのは、自らの信仰が、国王の離婚も、俗人である国王がイギリス国教会の首長となることも認めなかったからですが、ここは法律家であるモアらしい戦い方だと言えるでしょう。

実際の裁判でモアがどのような主張をしたのかはわかりませんが、映画の中では、死刑判決が下った後、それまで頑《かたく》なに沈黙を守り通したモアが、思いの丈を堂々と述べるシーンは圧巻です。

モアに承認させようとしたヘンリー八世とアン・ブーリンの結婚生活は、モアが死刑に処せられた翌年に、アンが処刑されるという形で終わりを迎えています。これは、アンがヘンリー八世の期待を裏切り男子を産めなかったため、不義密通の罪をねつ造し、処刑したと言われています。事実、このときヘンリー八世は、新しい恋人ジェーン・シーモアと関係を結んでおり、アンの処刑の翌日にはジェーンと婚約し、十日後には結婚しているのです。

ジェーンとの結婚によって、ヘンリー八世は待望の男子（後のエドワード六世）を得ますが、ジェーンが亡くなってしまったため、その後もヘンリー八世は、次々と結婚と離婚（うち一人は処刑）を繰り返します。

残虐で気分屋のヘンリー八世が処刑したのは、自分の期待を裏切った妻だけではありません。モアを追い込んだトマス・クロムウェルも、モアの友人だったノーフォーク卿も、最後は国王への反逆罪に問われ処刑されています。

映画の中ではあまり良い描き方をされていないクロムウェルですが、実際の彼は官僚としては非常に有能な人物だったと考えられています。彼が、ヘンリー八世が中央集権に基づく絶対主義国家を作り上げる補佐を果たしたことは間違いない事実であり、有能な人材を活用し、自分が望む国家を作り上げたという意味では、残虐な性格の持ち主であったことは事実ですが、ヘンリー八世もまた有能な国王だったと言えるでしょう。

トマス・モアとエラスムス

映画では沈黙を守り、死刑が決まるまでその心の内を語らなかったモアですが、実在のモアの心の内を伝える貴重な史料が残されています。

それはトマス・モアが、オランダの人文学者で、ルネサンス期最大の知識人と評されるエラスムスと交わした「往復書簡集」です。

エラスムスは、彼の『痴愚神礼讃《ちぐしんらいさん》』が、痴愚の女神による語りというかたちで、当時の教会や聖職者の偽善を風刺していることから、宗教改革に、最初の火をつけた人だと言われている人物です。

二人の書簡は、当時の教養人の共通言語であるラテン語で書かれていたことから、日本では長く翻訳本が出ていませんでしたが、二〇一五年に『エラスムス＝トマス・モア往復書簡』(岩波文庫)として日本でも出版されています。

これを読むと、二人の人となりと共に、その絆の強さが伝わってきます。

二人が終生にわたる友情を結んでいたことは、エラスムスの主著『痴愚神礼讃』がモアに捧げられていることからもよく知られています。モアは、子供たちの教育のためにエラスムスを自宅に招いたこともあり、映画の中ではその名は語られていませんが、モアの娘マーガレットがヘンリー八世に、ギリシア語は誰に教わったのかと尋ねられたとき、「父の友人から」と答えているのは、エラスムスのことを示唆しているものと思われます。

当代一流の知識人同士の往復書簡ですが、二人の書簡には格式張ったところが少しもなく、驚くほど素直な思いが綴られ、二人が心からやりとりを楽しんでいることが窺えます。

年長ですが、国家や教会といった組織に縛られることを嫌うエラスムスに、年少で学理に親しむ時間に憧れながらも、宮仕えをし実務もこなすモアは、時には懐具合の悪いエラスムスに収入の工面をしてあげたりもしているのです。もちろんそうしたときにも、モアに恩着せがましいところなど微塵もなく、敬愛するエラスムスに喜んで配慮していることが窺えます。

エラスムスも、そんなモアに対しては、「他の人たちには病気ということにしてあるのですが、大兄にだけは元気にしていると申し上げましょう」と、屈託なく仮病と称して人付き合いを制限していることを打ち明けています。

『エラスムス＝トマス・モア往復書簡』に収録されている書簡は全部で五〇通。おそらく実際に交わされた書簡はもっと多く、何百通もあったかも知れません。ですから、ここに収録されている最後のモア書簡（一五三三年六月）が、本当にエラスムスに宛てた最後の書簡かどうかはわかりませんが、そこには大法官を辞職したモアが、自らの墓を建て「あるがままの真実を墓碑銘に刻み込み、公の証《あかし》にしようと決めた」ことが記されています。

そして、自分が墓碑に何を書いたのか、エラスムスに「是非ご笑覧いただきたい」と、その内容を手紙に添えています。

その「トマス・モアの墓碑に付された言葉」には、モアの死に対する覚悟とも言うべき言葉が綴られています。

これを読まれる諸賢、この生前の墓の建立が無駄となることなきよう、迫りくる死を目の前にしてモアが恐れおののくことなきよう、そしてキリストを待ち望みながら嬉々として死を迎えられるよう、モアが自分の死を死ではなく、より幸福な生への門出と見ることができるよう、この世と同時にあの世のモアのために、どうか敬虔なる祈りを捧げてくださるようお願いする。

『エラスムス＝トマス・モア往復書簡』(岩波文庫)三四〇ページより引用

長くなるのでこれ以上の引用はしませんが、モアはこの言葉の中でヘンリー八世を歴代の王の中でも傑出した王だと述べています。わかりやすく言えば、モアは、俗人としての国王は支持したけれども、神の代理人としては、やはりあくまでもローマ法王(教皇)を支持するという思いだったのでしょう。

そして、自らの信仰か国王への忠誠かを秤《はかり》にかけなければならなくなったとき、一人の人間として信仰を選んだということなのだと思います。

せめぎ合う二人のトマス・モア

私がこの映画にすごく惹かれたのは、ここで描かれているモア像に、古代ギリシアの哲学者ソクラテスの死と共通したものを見出したからでした。

ソクラテスは、若者たちを誘惑しアテネの国家秩序を乱したという理由で反逆罪に問われ処刑されるのですが、この当時のこうした哲学者に対する処刑宣告は、わかりやすく言えば、「アテネから出ていけ」という勧告に過ぎないものでした。

実際、ソクラテスの周りの人々は、彼に亡命を勧めています。亡命しても、追っ手が来るようなことがないことは、みんな知っていたからです。

しかし、ソクラテスは周囲の勧めを聞かず、アテネに留まります。なぜ自ら死を選ぶようなことをするのかと問われたソクラテスは、「自分が法律を守らなければ、誰が法律を守るのか」と答えています。つまり、法の上で死刑と宣告をされた以上、死刑になるのが当たり前だ、「国家の法律は破ってはいけない」というのがソクラテスの考え方なのです。

モアの場合も、これと似たところがあると思うのです。

モアとソクラテスの違いは、何だったのかと言えば、恐らく「時代」でしょう。モアはよく「この人は中世人か近代人か」と問われることがあるのですが、彼は時代的にも精神的にも、中世と近代の狭間を生きた人だったと言えます。

ソクラテスは、古代における道徳主義者です。ソクラテスは「アテナイの国家が信じる神々とは異なる神々を信じることで、若者を堕落させた」という理由で罪に問われましたが、彼が死刑を受け入れたのは、信仰が理由ではありません。あくまでも法律に従うことが正しいことだという信念からです。

モアも自らの信念に従い死を受け入れましたが、その信念の支柱は法律ではなく信仰でした。そういう意味では、ローマカトリックの神という存在に対して、命をかけてでも忠実であろうとしたモアは、典型的な中世の人間です。

しかし、エラスムスとの交流や、彼の人文主義者としての行動を見ていると明らかですが、彼が同時に非常に近代的な合理性を持っていたことも事実です。

中世と近代、その二面性がこのトマス・モアの中には存在していたのです。

映画の中でも、モアは法の支配というものに強いこだわりを持つ人物として描かれています。「私は自分の本心を誰にも語っていない。だから法律で裁かれる限り、私は大丈夫だ」という台詞は、モアの近代的な部分をクローズアップしたものだと言えます。

しかし、こうした近代的ロジックも、言うなれば、中世の精神を持つモアを、近代の目を持つモアの理論武装で守ろうとしたものでした。

そのことがはっきりと現れるのは、彼のロジックが、法の範疇《はんちゅう》を超えた部分で破られ、死刑が宣告されたときです。

死刑を宣告されたモアは、自分の中の中世人を解き放ち、初めて本心を叫びます。

近代人としてのモアと中世人としてのモア、二人のモアが見事に描かれたこのシーンは、クライマックスにふさわしいとても印象的なものに仕上がっています。

結論から言えば、近代人の目を持つモアと、中世の精神を持つモアのせめぎあいは、中世のモアが勝利を収めます。

命をかけても信念を守るとはどういうことか

恐らく、現代人が見ると、何もあそこまで頑固にならなくても、認めちゃえば良いじゃないか、と思うでしょう。

映画の中でも、最後に面会した娘マーガレットが、トマス・モアに、「神は口先の言葉よりも心を重んじます」と、宣誓を促すシーンがあります。

映画を見ていた人は、みんなこのマーガレットの言葉に同意するのではないでしょうか。

このマーガレットの台詞を聞いたとき、私の脳裏にはキリスト教への信仰心をテーマにした映画が思い出されていました。

遠藤周作の小説『沈黙』を、マーティン・スコセッシ監督が映画化した、『沈黙―サイレンス―』(二〇一六)です。

舞台は十七世紀、江戸時代の日本です。幕府によってキリスト教は禁教とされ、キリシタンであることが見つかれば、捕らえられさまざまな手段で棄教が強要され、信仰を捨てなければ磔《はりつけ》にされ殺されてしまう、そんな時代に日本にやってきたのが宣教師ロドリゴです。

彼はキリシタンであるキチジローの手引きで長崎に潜入しますが、そのキチジローの裏切りによって、長崎奉行に捕らえられ、棄教するよう求められます。

初めは棄教を激しく拒んでいたロドリゴも、多くのキリシタンが殺されていく姿を目にし、キリスト教のせいで多くの民が死んでいくのだと責められ続け、次第に心が揺らいでいきます。そして最後には長崎奉行の説得に負けて踏み絵に足をかけます。

しかし、モアは「人間が一度誓ったら、両手でしっかり支えなければいけない。指を開けば自分を失ってしまう」と答え、娘が泣いても、妻がなじっても、あくまでも信念を貫きます。

中世的な信仰心というのは、それほどまでに絶対的なものがあったのでしょう。

確かに、ソクラテスもトマス・モアも、自らの信念を命をかけて貫き通したからこそ、歴史に名を刻んだことは間違いありません。モアが最後に負けて宣誓していたら、彼の命は助かっても大義を失ったでしょう。

信念を貫き、大義を守ることは素晴らしいことです。それは間違いありません。

私も権力や権威におもねるような生き方はしたくないという思いを持っています。

しかし、そう思うことと、実際に自分の死を目の前にしたとき、その信念をどこまで貫けるのかはまた別の話です。

もし、自分の人生でそうした選択を迫られることがあったら、自分はどうするだろうか、そんなことをきれい事を抜きにして考えさせられる『沈黙』という作品も、本作と合わせて是非見ていただきたい名作映画です。

えっ、私ですか？

私はやはり、いざとなったら踏み絵の端っこのほうを、そっと踏んだりして、ごまかしてしまいそうな気がしています。

08/21

Elizabeth: The Golden Age

『エリザベス　ゴールデン・エイジ』

エリザベス
ゴールデン・エイジ

見る人によって印象が変わる作品

『エリザベス　ゴールデン・エイジ』は、二〇〇七年公開（日本は二〇〇八年公開）のイギリス映画です。監督はインド出身のシェカール・カプール。一九八三年に監督デビューをしたものの、ほとんど無名だった彼を一躍有名にしたのは、一九九八年公開の映画『エリザベス』でした。

『エリザベス』の主人公は、先にご紹介した『わが命つきるとも』に登場するイングランド国王ヘンリー八世と、その二番目の王妃アン・ブーリンの間に生まれ、その後のイギリス発展の基礎を築いた十六世紀の女王、エリザベス一世です。

この映画では、エリザベス一世の即位後間もない不安定な時期を舞台に、若きエリザベス一世とロバート・ダドリーの恋愛を軸に、エリザベスが一人の女性から、誇り高き女王として生きる覚悟を固めていく姿が描かれています。そして、この映画のヒットを受けて、ほぼ同じキャスティングで作られた後編とも言うべき作品が、今回ご紹介する『エリザベス　ゴールデン・エイジ』です。

時代はエリザベスの治世も後半にさしかかる一五八五年から、イギリスがスペインの無敵艦隊を破ったことで有名なアルマダ海戦までの約三年間。

この三年間は、タイトルにもある「ゴールデン・エイジ／黄金時代」と呼ばれる彼女の治世後半へと繋がる非常に大きなターニングポイントとなった時期です。

この時期の特に重要な出来事は二つ。元スコットランド女王にして、イングランドの王位継承権を持つメアリー・スチュアートの処刑と、大国スペインとの戦争です。この二つの出来事は密接に関係しており、そこには当時の宗教問題が絡んでいます。

そのため『エリザベス　ゴールデン・エイジ』は、見る人が、どれぐらいの歴史的知識を持っているかによって、印象が大きく変わる作品だと言えます。

エリザベス一世は、一九一二年のフランスの無声映画『Les Amours de la reine Elisabeth（エリザベス女王）』で初めて映画に登場して以来、十六世紀のイギリスを扱った作品の多くに登場する人気のキャラクターです。そういう意味では、イギリスの歴史上の人物の中で、最も有名な女性と言っても過言ではないでしょう。

日本の歴史映画でも、織田信長や豊臣秀吉、徳川家康が活躍した戦国末期を舞台としたものは非常に人気が高く、彼らについてはほとんどの日本人が雑学的に知識を持っています。ヨーロッパにおけるヘンリー八世からエリザベス一世までの時代は、まさにそうした日本における三英傑に匹敵する人物たちが登場します。

またエリザベス一世は、よく知られた人物なだけに、伝説的なものも含め、彼女に関する逸話というのが数多く存在し、ヨーロッパの人々はそうしたものもよく知っています。

例えば、『エリザベス　ゴールデン・エイジ』の中で、冒険家ウォルター・ローリーとエリザベスが初めて出会うシーンで、ぬかるみで足を汚さないようにと、ローリーが自分のマントをエリザベスの足下に広げるという一幕がありますが、これはイギリスではとてもよく知られた逸話をもとにしたものです。

日本の歴史でたとえるなら、若き日の秀吉が信長に気に入られようと、懐に入れて温めておいた草履を差し出したエピソードと似たようなものです。

こうした逸話は教科書には載っていませんが、日本人なら誰もが知っています。

宗教問題の火種となった両親の結婚

エリザベス一世が王位に就いたのは一五五八年、二十五歳のときでした。彼女は当時としては長寿な七十歳まで存命したので、在位期間も四十五年という長きにわたります。

ヨーロッパの二流国に過ぎなかった小国イングランドが、後の大英帝国に繋がる基礎を築いたことで、彼女の治世は後に「ゴールデン・エイジ／黄金時代」と呼ばれますが、彼女自身の人生は決して恵まれたものではありませんでした。

母のアン・ブーリンが王妃の座にこだわったため、ヘンリー八世が王妃であるキャサリン・オブ・アラゴンとの離婚を強いられたことは、すでに『わが命つきるとも』で述べた通りです。結局、ヘンリー八世は、カトリックから離脱し、独自にイギリス国教会を立ち上げることで強引に離婚を成立させました。この離婚によって、キャサリンの娘であるメアリー王女（メアリー一世）は、王位継承権を剝奪され庶子の身分に落とされます。その上、アンと父親の結婚を認めようとしなかったため、メアリーは生まれたばかりのエリザベスの侍女にさせられてしまったのです。

しかし、そのアン・ブーリンも男子を産めなかったため、王の寵愛を失い、国王暗殺および不義密通の罪に問われ、エリザベスがまだ三歳のときに処刑されてしまいます。これによってエリザベスもまた、王位継承権を剝奪され庶子となったのでした。映画の中で、エリザベスに敵対する人々が、彼女を「妾腹《しょうふく》（庶子）」と蔑《さげす》んでいるのはこのためです。

男子の跡継ぎを得ることに固執したヘンリー八世は、その後も次々と結婚を繰り返し、最終的に六人の王妃を持ちますが、男子を産むことができたのは、三番目の王妃ジェーン・シーモアだけでした。

では、なぜ庶子であるエリザベスが王位に就くことができたのでしょう。

庶子に落とされていたメアリーとエリザベスの運命を変えたのは、六番目の王妃キャサリン・パーでした。聡明な彼女は、メアリーとエリザベスの王位継承権復活を王に嘆願し、この願いは一五四三年「第三継承法」として議会の承認のもと認められます。

さらにキャサリン・パーは、まだ幼かったエリザベスを引き取り、王女としてふさわしい教育を施したのです。エリザベスはこの聡明な継母を「私の大好きなお母様」と呼び、非常に慕っていたと伝えられています。事実、二人の関係は良好で、一五四七年にヘンリー八世が崩御し、キャサリンが宮廷を退いた後も一緒に暮らしていました。

そんな二人の関係にヒビが入ったのは、キャサリンがかつての恋人トマス・シーモアと再婚し、妊娠していたときのことでした。夫であるトマス・シーモアと、義理の娘であるエリザベスが親密な関係を持っていることが発覚したのです。激怒したキャサリンは、エリザベスを館から追い出しました。エリザベスは再び庇護者を失うこととなります。

そんなエリザベスをさらに窮地へ追い込んだのは、王位を継いでいた異母弟エドワード六世（在位一五四七～一五五三）の死後、異母姉メアリーが王位に就いたことでした。

メアリーの母であるキャサリン・オブ・アラゴンは、当時最大のカトリック王国スペインの王女であったため、熱心なカトリック教徒でした。そんな母のもとで育ったメアリーもまた、熱心なカトリック信者だったのです。

一方、プロテスタントであるキャサリン・パーに養育されたエリザベスはプロテスタント（国教会）の信者でした。

母を王妃の座から引きずり落とし、国教をカトリックからプロテスタントである国教会に変えたアン・ブーリンを恨《うら》んでいたメアリーは、父の行った宗教改革を覆しカトリックに復帰、同時にプロテスタントに対し過酷な弾圧を行いました。

大国スペインとの対立

そのメアリーが自分の伴侶に選んだのは、従兄弟にあたるスペイン王カール五世の王太子フェリペ（後のフェリペ二世）でした。大国スペインの影響を恐れたイングランドの重臣たちはこの結婚に反対しましたが、メアリーはこの結婚を断行し、フェリペにイングランドの共同王（ただし、メアリーとの婚姻期間に限るとの条件つき）としての資格をも与えてしまいます。さらにこの結婚によってスペインの対仏戦争に巻き込まれたイングランドは、多くの兵と戦費だけでなく、大陸に残っていた唯一の領土カレーをも失ってしまいます。フェリペとの結婚によってメアリーの人気は低下、国内でくすぶっていた不満分子の反乱が生じました。するとメアリーは、エリザベスの関与を疑い、彼女をロンドン塔に収監し尋問。証拠も自白もなかったことで処罰は免れたものの、エリザベスは一時期、事実上の幽閉生活を余儀なくされます。

しかし、一五五八年、メアリーが跡継ぎを得られないまま崩御したことで、エリザベスに王位が回ってきました。

メアリーの死によってイングランドの王位を失ったフェリペ二世は、エリザベスとの婚姻を目論みますが、エリザベスが彼を受け入れることはありませんでした。そして、即位したエリザベスは国教会を復活させます。とはいえ、貴族を中心とする国内のカトリック勢力は大きく、宗教的対立を避けるためメアリーが定めた「異端排斥法」を廃止するなどしてカトリックとプロテスタントの融和を目指しつつも、自ら国教会の最高統治者となることで、国内権力の掌握を目指したのでした。

映画の中では、イングランドとスペインの対立の理由として、イングランド船によるスペイン船に対する掠奪《りようだつ》行為がフィーチャーされています。こうしたことがあったのは事実で、それを黙認していたエリザベスを海賊の黒幕であったかのように語る人もいますが、当時の人々が「掠奪行為」に対して、現代人とは異なる常識を持っていたことは理解しておく必要があります。

映画の中で、スペイン大使がエリザベスにウォルター・ローリーの略奪行為に文句を言っても、エリザベスが涼しい顔をして取り合わないのは、「お互い様なのだから、悔しかったらあなたたちも実力で取り返しなさいよ」という理屈が通用したからなのです。

もう一つ、これは映画の中ではあまり触れられていなかったのですが、スペインとイングランドの対立の背景には、当時スペインからの独立を掲げて戦っていたネーデルランド諸州をイングランドが支援していたという事情がありました。

スペインに利用されたメアリー・スチュアート

エリザベス一世は即位当初から、常にその結婚問題が周辺国の注目を集めていました。数多くの求婚者が現れる中、エリザベスはそのすべてをのらりくらりとはぐらかしつつ、決して結婚する意思はないとは言いませんでした。そうすることで、自らの結婚話を外交手段の一つとして利用していたとも見ることができます。

映画の中でまだあどけなさを残す若者が齢《よわい》五十を過ぎたエリザベスに求婚するシーンがありますが、これはフェリペ二世の従兄弟のオーストリア大公カールで、実際にエリザベスとは二十二歳もの年の差がありました。

エリザベスがなぜ結婚しなかったのか、歴史家の間でも諸説あり、本当の理由はわかっていませんが、最終的に彼女は誰の求婚も受け入れず生涯独身を貫きます。

エリザベスが自分の思い通りにならないことを悟ったフェリペ二世は、カトリック信者でイングランドの王位継承権を持つメアリー・スチュアートをイングランドの女王にすることを計画します。

メアリー・スチュアートは、ヘンリー八世の姉マーガレットがスコットランド王ジェームズ四世に嫁いで生まれた子、つまりジェームズ五世の娘です。生まれながらにしてスコットランドとイングランドの王位継承権を持つメアリーは、父の急死によって生後わずか六日でスコットランドの王位に就きました。その後、六歳で母の母国であるフランスに渡り、十六歳でフランス王アンリ二世の王太子フランソワと結婚、翌年にはアンリ二世が亡くなったことで夫フランソワが王位に就き、彼女はフランス王妃になったのでした。

ところが、その翌年の一五六〇年に夫であるフランソワ二世が病没してしまい、子供がなかったメアリーは、翌年、生まれ故郷であるスコットランドに戻ることとなったのでした。

帰国したメアリーは、程なくして同じくマーガレットの血を受け継ぐ従兄弟のダーンリー卿と再婚し、ジェームズという男子にも恵まれました。ダーンリー卿との結婚は、周囲の反対を押し切ってのものでしたが、愛情は長く続かず、メアリーはボスウェル伯へ思いを寄せるようになります。そうした最中、ダーンリー卿が殺害されてしまいます。犯人はボスウェル伯とメアリーなのではないかという噂が流れる中、二人は結婚。結婚に反対する貴族たちが反乱を起こし、メアリーは王位を捨ててイングランドのエリザベスのもとへ逃げ込んだのでした。

こうしてエリサベスのもとで軟禁生活を送るメアリーに対し、スペインは「あなたを解放し、イングランドの女王にして差し上げます」と言い、利用したのでした。

ウォルシンガムの陰謀

映画では、この後エリザベス暗殺未遂事件が起き、その首謀者としてメアリーが裁判にかけられ、エリザベスの重臣フランシス・ウォルシンガムが、彼女が関与したことを示す手紙を証拠として提出したことで、メアリーの反逆罪が確定し、処刑されるという展開になっています。

この部分が少々わかりづらいのは、ウォルシンガムという人物についての説明がなされていないからです。

ウォルシンガムは、熱心なプロテスタント信者でした。そのためメアリー一世の治世では迫害を恐れ、海外に留学し、エリザベスの即位と共に帰国、エリザベスの秘書長官ウィリアム・セシルの取り立てによってエリザベスの側近の一人として仕えることになった人物です。

ウォルシンガムが力を持つきっかけとなったのは、一五七一年に起きたリドルフィ事件でした。これは、教皇ピウス五世とフェリペ二世が裏で画策したエリザベス暗殺計画が明るみに出た事件でした。この事件にメアリーが関与していることを突き止めたセシルは、情報組織を作り、事件解決に尽力したウォルシンガムをその責任者に据えます。これ以降ウォルシンガムは、王室のスパイマスターとして暗躍することになったのです。

一五八六年、再びメアリーを中心とする陰謀があることを知ったウォルシンガムは、メアリーを監視の行き届くチャートトリー城に幽閉し、外部との通信を禁じました。メアリーを支援していたパリのトマス・モーガンは、突然音信が途絶えたことを不審に思い、ギルフォードという青年をイングランドに送り込みます。

このことを見越していたウォルシンガムは、ギルフォードがイングランドに上陸するやいなやこれを捕らえ、自らの二重スパイに仕立ててメアリー支持者の中に潜り込ませたのです。

厳しい監視下におかれていたメアリーと連絡を取る方法を考えいてた支持者たちに、ギルフォードが一つのアイデアを授けます。それは週に一度、チャートトリー城に届けられるビール樽のコルク栓をくりぬき、中に手紙をしこむというものでした。支持者たちはこのアイデアに乗り、早速メアリーと手紙のやりとりを始めます。このビール樽を使った手紙のやりとりの様子は、映画の中でも忠実に描かれています。

ここまで言えば、なぜウォルシンガムが裁判のとき、証拠となるメアリーの手紙を持っていたのかおわかりでしょう。すべてはウォルシンガムの計画だったのです。

エリザベスは、最後までメアリーの処刑に反対しましたが、メアリーが生きている限り同じような陰謀が繰り返し画策され、そのたびにエリザベスの命が危険にさらされることを危惧したウォルシンガムは、法の力をもってエリザベスに決断を促しました。

メアリーの処刑によって、大事な手駒を奪われたスペインは、エリザベスを武力で屈服させる決意を固め、無敵艦隊をイギリスに差し向けます。同時に教皇ピウス五世は、「エリザベスを排除したものは祝福される」と、この戦いがカトリックにとって異端を駆逐する聖戦であることを公言し、スペインの兵士たちを鼓舞しました。

スペインの宣戦布告に対し、映画の中でウォルシンガムが、エリザベスに自らの失態を詫《わ》びるシーンがあります。それは、ウォルシンガムの計略のもと行われたメアリーの処刑が、スペインに宣戦布告の口実を与えてしまったことを、長年スペインとの戦争を避けることに苦心してきたエリサベスに対し詫びているのです。

アルマダ海戦の真実

定石からいけば、イングランドに勝ち目はありませんでした。スペイン無敵艦隊は一三〇隻、対するイングランド海軍は三四隻しかありません。さらにスペインは、無敵艦隊とは別に陸上部隊を派遣しており、無敵艦隊によって海を制圧し、陸上部隊を送りこむという作戦でした。

圧倒的に不利なイングランドは、私掠船《しりやくせん》として戦闘実績を持つ武装商船一六三隻をかき集め、艦隊司令官には他国から海賊と恐れられたキャプテン・ドレイクを任じました。

決戦の前日、エリザベスは自ら白銀の鎧《よろい》を身につけ、不利な戦いに挑むイングランド兵を鼓舞する演説をします。

ティルベリーにおいて行われた「私はか弱く脆《もろ》い肉体の女だ。だが、私は国王の心臓と胃を持っている。それはイングランド王のものだ」というこの演説は、エリザベスの行った演説の中で最も有名なものです。

東洋の君主は戦争のとき、最も安全な場所に身を置き軍を指揮します。これは、君主の命さえ繋がれば、家名の再興を図ることができた東洋における正しい君主の在り方なのですが、西洋の価値観は違います。

西洋の君主は、ギリシア・ローマの頃からそうなのですが、兵の先頭に立って自らの身を危険にさらし「われに続け！」と兵を率いることが、正しい在り方だったのです。エリザベスは女性なので、さすがに最前線で戦うことはできませんでしたが、鎧に身を包んで馬上から行ったこの演説は、そうした君主としての覚悟を示すものだったのです。

映画の中では、エリザベスの演説に勇気を得た兵が、劣勢の中、天候の変化を利用して無敵艦隊を火計で壊滅させていくというドラマチックな展開になっていますが、実際のアルマダ海戦は少し違っていたようです。

もちろん、スペインの予想に反してイングランド軍が善戦したことは事実なのですが、無敵艦隊の約三〇%を沈めたのは、期せずして起きた暴風雨だったのです。日本的表現をするなら、この勝利は「神風」がもたらしたものだった、ということです。

理由はどうあれ、ヨーロッパの二流国に過ぎなかったイングランドが大国スペインに勝利したことは歴史的事実です。

スペイン無敵艦隊は、この戦いで全滅したわけではなく、その後もしばらくはスペインがヨーロッパの強国であり続けますが、この戦いがその後のスペインの衰退とイギリスの台頭のきっかけとなったことはまちがいありません。

このアルマダ海戦の様子もそうですが、この映画では、一五八五年から一五八八年までの三年間で、物語を劇的に展開させるため、史実ではその前後に起きた出来事も、少々無理をしてこの間の出来事ということにして詰め込んでしまっているところがあります。

例えば、エリザベスが恋心を抱くウォルター・ローリーとの出会いは、実際には映画の設定よりもかなり前のことで、一五八一年には彼はすでにエリザベスの寵臣としてさまざまな便宜を受けていいます。彼が新大陸におけるイギリス最初の植民地を建設した地域を、女王に因《ちな》み「ヴァージニア」と名付けたのも、植民地建設の勅許を与えられたことに対する感謝を表したものだったのです。

また、映画の中では、ローリーがエリザベスの侍女のベス（エリザベス・スロックモートン）と秘密結婚をして女王の怒りをかったのがアルマダ海戦の前だったとして描かれていますが、実際には戦後の一五九一年のことで、エリザベスがそのことを知って激高し、二人をロンドン塔に送ったのは、二人の間にできた子供が生まれた後の一五九二年のことなのです。

この映画で印象深いのは、エリザベスの為政者としての覚悟の強さが、彼女の女性としての部分を凌駕《りょうが》したものであったことが、非常に巧みに描かれていることです。

私は以前、『三銃士』や『モンテ・クリスト伯』で名高い文豪アレクサンドル・デュマが書いた『メアリー・スチュアート』（作品社）の書評で、「不幸なことに、エリザベスが女である前に女王だったのに、メアリーは女王である前に女であった」と書いたことがあります。

女王として生きたエリザベスは、自らの子孫は残せませんでしたが、歴史に名を残しました。一方、女性として生きたメアリーは、不幸な最期を遂げましたが、自らの遺伝子を後世に残しました。彼女の息子ジェームズはエリザベスの王位を継ぎ、スコットランドとイングランドを統治する王に君臨し、彼女の遺伝子は今もイギリス王室に受け継がれています。

09

21

七人の侍

『七人の侍』

七人の侍

映像に革命的変化をもたらしたリアルな時代劇

『七人の侍』は一九五四年の公開なので、かれこれ約七十年も前のモノクロ映画です。それでも、今も見る人に「凄い！」と言わしめる日本映画の最高傑作の一つです。

監督は黒澤明、主演は菊千代を演じた三船敏郎と言われることが多いようですが、私は今回改めて見て、この映画の主役は、志村喬《たかし》演じる島田勘兵衛だと思いました。

黒澤が『七人の侍』の構想を抱いたのは、前作『生きる』（一九五二年公開）の撮影中だったと言います。

黒澤は後に、時代劇を「全然新しい角度から考え直してみること」を目指したと語っていますが、彼がそう考えたのは、当時の時代劇に対するアンチテーゼからでした。

当時の時代劇は、歌舞伎の影響を強く受けており、侍も農民もみなまるで床屋から出てきたばかりのような整った髪に小綺麗な着物を着ていました。また姿だけでなく、台詞も所作も「歌舞伎の型」に則《のつと》った形式美が優先されていました。

これに対し、黒澤は本物の時代劇、つまり、その時代を生きた人々のリアルな姿を映像で再現しようとしたのです。

侍を主人公としたリアルな時代劇を撮る。そう心に決めた黒澤が最初に考えたのは、劇的な一日を通して、侍とは何かを描こうということでした。そこで、シナリオの共同執筆者である橋本忍に、一足先に「侍の生活」を調べて貰うことにしたのですが、これが難航しました。歴史学者や史料にあたることで歴史的事件についてはわかるのですが、日常生活のような細かいことになると、史料が全く残っていないのです。

そこで侍の一日を諦《あきら》めた黒澤は、剣豪ものを考えます。しかし、どうも面白いと思えるものができません。橋本といろいろな話をしているうちに、剣豪の武者修行の話になり、戦国時代は、どんな村でも夜番をすれば一宿一飯に与《あずか》ることができたということがわかります。そして、古い記録の中に、ある村が野武士の襲撃から村を守るために侍を雇い、難を逃れたという記録が見つかりました。

この話を聞いた黒澤は、「これでいこう!」と喜び、浪人の侍たちが農民に雇われ、野武士の襲撃から村を守るという『七人の侍』の基本ストーリーが決まったのです。

時代設定は、戦国末期の天正年間(一五七三〜一五九二)。できる限りリアルな時代劇を目指した黒澤は、綿密な時代考証を行い、それに基づいた再現を徹底しました。

当時の浪人たちのいでたちはもちろん、武具や馬具なども調べ上げ、鎧兜《よろいかぶと》は平安時代から続く明珍《みょうちん》という甲冑師に制作を依頼し、その着方も学びました。カツラも従来の型にとらわれず、役柄に合わせてそれぞれ個性を持たせたものを作らせました。衣装も当時の柄を調べ、生地を染めるところから制作されました。さらに、特に農民たちの衣装は、着古した感じがなければそれらしくないということで、撮影に入るかなり前から役者それぞれが自宅に持ち帰り、普段から着て肌に馴染ませるのはもちろん、農民らしく汚すためにわざと地面に転がって汚したり、軽石でこすって古びさせたそうです。

また、本編の中で用いられたエピソード、例えば、農民たちが勘兵衛と出会うきっかけとなった、侍が僧形に扮して子供を助ける話や、共に戦う仲間を探す際に不意打ちを仕掛けるといった話などは、享保元年（一七一六）に世に出された日夏繁高《ひなつしげたか》著、剣豪伝『本朝武芸小伝』に記された実話をもとにアレンジされたものです。

現在私たちは、時代劇が時代考証を踏まえたものであるのは当たり前のことだと思っていますが、『七人の侍』は、そうした現在の歴史映画の常識を整えた革命的作品だと言えるのです。

過酷な農民の暮らし

物語の舞台は戦国時代末期。細かいことを言うと、天正十四年（一五八六）頃と思われます。というのは、映画の中で菊千代が、勘兵衛たちに自分も武士だと主張するために、盗んだ家系図を見せ、それを見た官兵衛たちは、菊千代は天正二年生まれなので、「これがおぬしなら、当年とって十三歳だ」と言って笑う、というシーンがあるからです。天正二年生まれの菊千代が十三歳ということは、当時は天正十四年というわけです。

戦国時代末期というと、織田信長、豊臣秀吉、徳川家康といった、いわゆる「三英傑」がすぐに思い出されることと思います。実際、天正十四年は、秀吉が家康を臣下とし、天下統一に王手をかけた時期です。しかし、この映画にはそういうトップレベルの人たちは一人も出てきません。登場するのは農民と仕官先を持たない浪人の侍たちと野武士だけ。つまり『七人の侍』は、戦国末期の民衆の世界を描いた作品なのです。

戦国時代は激動の時代です。農民たちはずっと同じ土地を耕していましたが、領主が変わることは珍しいことではありませんでした。

領主が変わると、年貢の取り立て方が変わることもあります。

それに、たとえ年貢の取り立て方が変わらなくても、「賦役《ぶえき》」という無償の労働奉仕にかり出されることが増えたり、ひとたび戦が起これば、軍事費や兵站《へいたん》のために臨時徴収が行われ、それを拒むことはできませんでした。

さらに、領主が戦に負ければ、敵の略奪に晒されることになります。

このように、ただでさえさまざまな形で取り立てられていた農民たちに残された、わずかな生きる糧《かて》を奪おうとしたのが、野武士たちだったのです。

農民たちは領民なのだから、領主が守るだろうというのは、公権力が発達した現代人の考え方です。

もしも野武士たちが年貢を納める前の村を襲うのであれば、領主も見過ごさないでしょうが、野武士もそこはわきまえているので、彼らが狙うのは、刈り入れが終わり、年貢を納めた後の村なのです。

領主は年貢さえ取り立ててしまえば、敢えて野武士と戦ってまで農民を守ろうとはしてくれません。当時も一応、農村に対する狼藉《ろうせき》行為を領主が禁じることを示す「制札」という制度があることはあったのですが、これは主に戦乱の際の進駐軍に対するものであって、野武士や敵軍に対してはほとんど効果がなかった上に、領主に制札を発行して貰うためには、それなりの金品を納めなければなりませんでした。

映画の中で、「代官所なんていっても無駄だ。奴らは焼け跡を見に来るだけだ」と農民が吐き捨てるように言うシーンがありますが、こうした当時の事情がわかると、農民たちが領主に頼ろうとしない理由がおわかりいただけるでしょう。

ローマの発展と海賊

公権力が未発達な社会では、『七人の侍』の野武士に限らず、暴力によって他人の財産を奪う者が必ず現れます。そして、そうした者たちから命と財産を守るには、自力で戦うか、金銭で守ってくれる者を雇うしか方法はありません。

実は、こうした治安の問題は古代ローマにもあり、公権力の発達がローマの発展と深く結びついていたことがわかっています。

ローマの共和政末期、山賊や海賊の横行が地中海世界の交易活動の大きな障害になっていた頃の話ですが、当時若き執政官だったカエサルが、地中海を船で渡っていたとき、海賊に捕まってしまったことがあります。

このとき海賊は、カエサルの身代金として二〇タラントをローマに要求したのですが、これを知ったカエサルは、「お前たちは誰を捕らえたと思っているのだ。二〇タラントでは安すぎる」と言って、自ら身代金を五〇タラントに引き上げることを要求しました。

そしてローマから身代金が届くまでの間、彼は海賊たちとゲームをしながら、「次に会ったらお前たちを捕らえて磔《はりつけ》にしてやる」と豪語しました。やがてローマから身代金が届き身柄が解放されると、カエサルはすぐに海軍を仕立てて、海賊たちを一網打尽にして全員を処刑してしまったのです。

この逸話がどこまで本当かはわかりません。何しろ海賊たちはみんな殺されてしまい、真実を知るのはカエサルだけだからです。自己宣伝のうまいカエサルのことですから、多少話が盛ってあるかも知れませんが、少なくとも、彼が自分を捕らえた海賊を成敗したことは事実だと考えられています。

この豪快な話が広まると、当時海賊に悩まされていた人々は、カエサルの庇護を求めて彼のもとに集まるようになり、海賊たちはローマ軍を恐れるようになります。実際、その後ローマが帝国の時代になる頃には、山賊や海賊はかなり淘汰《とうた》され、治安が良くなったことで帝国はさらに繁栄の時代を迎えることになるのです。

こうした公権力の発達に伴い山賊や海賊、日本で言えば野武士の横行が減少していくのは世界中どこでも同様に見られる現象です。日本も江戸時代に入り、幕府の力が強くなると、野武士のような存在は少なくなっていきます。そういう意味では、『七人の侍』は、強力な公権力が発達する以前の、戦国時代ならではの物語だと言えるのかも知れません。

野武士のずるさと農民のしたたかさ

映画の冒頭、野武士の一人が村を襲おうと言うと、頭目が「去年の秋に米をかっさらったばっかりだ」と言って制止し、今植えてある麦が実った頃に、と言って去ります。米は実っても年貢としてその多くが取られてしまうので、農民たちは稲作だけでは食べていけません。麦やそば、稗《ひえ》などを栽培することで、命を繋いでいたというわけです。つまり、この野武士たちは、秋に農民たちに残されたわずかな米を奪っただけでは飽き足らず、農民たちの命の糧をも奪おうとしたということなのです。

しかし、それで農民たちが飢えて死んでしまったら、元も子もないではないかと思うかも知れませんが、領主も野武士も、農民が死なない程度の加減はしていたはずです。江戸時代の言葉に「百姓は生かさず殺さず」というものがありますが、戦国時代も同じだったということです。

勘兵衛は、こうした農民たちの過酷な境遇を知り、「腹いっぱい食べられる」というだけの条件で、出世にも名誉にもならない命がけの仕事を引き受けます。

ただ、ここで興味深いのが、農民たちが侍たちに食べさせるだけの米を持っていたということです。自分たちは稗を食べているので、もちろんそれほど多くはなかったのでしょうが、村には隠し財産ともいうべき米があった、ということです。

これは、農民なりの「生きる知恵」というべきものです。

菊千代の台詞にありますが、農民たちは、年貢を取られ、さらに野武士に略奪され、米も麦も何もかもないと言いながら、床板の下や納屋の隅に、米や麦、豆や塩、そして贅沢品であるはずの酒までも隠し持っていたのです。

農作物を隠していたことに対しては、笑って見ていられた侍たちが、農民たちが隠していた別の物を目の当たりにすると、それまで農民に対して持っていた哀れみの気持ちが、一瞬にして憎悪に変わる瞬間があります。

それは、農民たちが落ち武者狩りによって手に入れた武器や武具を、菊千代が見つけ出してきたときのことでした。菊千代一人がいいものがあったとはしゃぎ回る中、勘兵衛は「この気持ちは竹槍で追い回された者にしかわからん」と言い、久蔵に至っては「この村の者たちを殺したくなった」とまで言います。

この一触即発のような空気を払拭《ふっしょく》するのが、農民出身の半端者の武士、菊千代の言葉です。どんなに腹に思うことがあっても、怯《おび》えて口をつぐみ、我慢するしかない農民に代わり菊千代は泣きながら叫びます。

「百姓って言うのは、けちんぼで、ずるくて、泣き虫で、意地悪で、間抜けで、人殺しだ。だが、そんなケダモノを作ったのは、お前たち侍だ！　戦のためには村を焼き、田畑を踏み潰す、食い物は取り上げ、人夫にはこき使う。女をあさり、手向かえば殺す。一体、百姓はどうすればいいんだ！」

侍たちもこの菊千代の言葉には返す言葉もなく、憑《つ》きものが落ちたかのように冷静さを取り戻します。

『七人の侍』は黒澤にとっての「父祖の威風」か

黒澤は自分の作品について多くを語らないことで知られています。彼の著書『蝦蟇の油――自伝のようなもの』（岩波現代文庫）の中でも、比較的初期の作品については言及していますが、『羅生門』（一九五〇年公開）以後の作品については、次のように述べて触れていません。


「羅生門」以後の私については、それ以後の私の作品の中の人間から読みとってもらうのが一番自然でいい。

人間は、これは私である、といって正直な自分自身については語れないが、他の人間に托して、よく正直な自分自身について語っているものだからだ。

作品以上に、その作者について語っているものはないのである。

そんな黒澤の『七人の侍』を見たとき、私の脳裏をよぎった言葉があります。それは古代ローマ人が何よりも重んじた「父祖の威風」というものです。

父祖の威風とは、ごく簡単に言えば「先祖の名誉」ということです。自分の父親、祖父、曾祖父、高祖父、そしてそのまた父というように、代々の先祖が行ってきた立派な行いを名誉として受け継ぐと共に、自分自身その先祖の名誉に恥じない生き方をしようという強い意志のことです。

実際、ローマ人の家庭では、子供たちに先祖の名誉ある行為を機会がある度に語って聞かせ、「お前もこうした先祖に恥じない人間になるように努力をしなさい」と繰り返し言い聞かせていました。

黒澤の父親は、秋田出身の軍人で、家伝の系図によると、その祖先は平安中期に陸奥《むつ》の厨川《くりやがわ》を拠点とした武将・安倍貞任《あべのさだとう》（一〇一九〜一〇六二）に行き着くといいます。

黒澤の父はこうした自らに流れる武士の血を誇りとする厳格な人物だったそうですが、少なからずその父の薫陶を受けたであろう黒澤自身も、自分に流れる侍の血を意識していたものと思われます。事実、彼は『蝦蟇の油』の中で自らを「安倍貞任の末裔」と誇らしげに記しています。

そんな彼が、『七人の侍』という作品において、七人の侍たちを「食うため」ではなく、侍が持つ「仁」の心に突き動かされる形で、名利に無縁な人助けに自らの命をかけるという、ある種「理想的」な姿で描いた根底にあったのは、自らの祖先に対する「祖父の威風」ともいうべき憧憬《しょうけい》の念だったのではないでしょうか。

黒澤の侍に対する畏敬《いけい》の念は、侍たちの死に様にも表れています。

野武士との戦いで七人の侍のうち四人が命を落とすことになるのですが、実は彼らは全員、種子島、つまり鉄砲に撃たれて亡くなっているのです。これについて黒澤は、山田洋次、井上ひさしとの座談「『七人の侍』ふたたび」の中で、「野武士との斬《き》りあいで殺させたくはなかったね。嫌でしたよ。パーンと撃たれて死んだほうが潔くてね」と語っています。黒澤にとって侍にふさわしい最期は、やはり勇敢に戦って潔く死ぬものだったということです。

世界的評価とリメイク作品について

『七人の侍』は、海外で評価の高い黒澤映画の中でも、特に長期にわたって高く評価され続けている作品です。事実、二〇一八年のＢＢＣが選ぶ「史上最高の外国映画ベスト１００」でも、一位にランキングされていましたが、そうした受賞歴よりも素晴らしいと思うのは、多くの映画監督たちに影響を与えているという事実です。『スター・ウォーズ』や『インディー・ジョーンズ』で知られるジョージ・ルーカスは、大学で映画を学んでいる時に『七人の侍』に出会い、初めて本物の映画に出会ったと感動し、何度も何度も見たと語っていますし、『ジョーズ』や『未知との遭遇』の監督スティーヴン・スピルバーグは、新しい作品に取り組むときには、必ず『七人の侍』を見ることで知られています。

また、リメイク作品『荒野の七人』(原題『The Magnificent Seven』、一九六〇年公開)がヒットしたことも、海外における『七人の侍』の知名度を上げた要因の一つかも知れません。

『荒野の七人』は、主演を務めたユル・ブリンナーが、『七人の侍』を見て感動し、そのオマージュとしてリメイク版の製作を希望したという経緯もあり、大まかなストーリーは原作を踏襲しています。

製作も正式に東宝の許諾を得たリメイクなのですが、黒澤自身の許可は得ておらず、侍をならず者のガンマンという設定にしたことには不満を持っていたと言われています。『荒野の七人』も、一つの作品として見れば非常によくできたいい映画なのですが、確かに『七人の侍』のリメイクだと言われると、疑問を感じるところもあります。

まず違和感を覚えたのは、ガンマンたちが村人の依頼を受ける理由が、侍のそれとは明らかに違っていたことでした。

また、菊千代と勝四郎を合わせたようなキャラクターの、チコという若いガンマンが最後、村娘との恋を成就させ村に残るところも『七人の侍』と大きく違うところです。勝四郎は、村娘の志乃に恋心を抱きますが、自らは一線を越えようとはしません。しかし、決戦の前夜、ついに二人は結ばれます。でも二人とも、最初からこの身分違いの恋が実らないことは覚悟しているのです。だからこそ、この恋は切なく美しいのです。

これに対し『荒野の七人』は、ガンマンと村娘という身分の差がない設定だったためか、二人は恋を成就させるというストーリーに変更されています。

もう一つ気になったのが、勘兵衛たち侍が綿密な戦略を立てて野武士との戦いに臨むのに対し、ガンマンたちは何の戦略も立てていないことです。

いろいろと違いを言いましたが、ストーリーや設定など、忠実なリメイクを心がけながらも、どうしてもリメイク版では描くことができなかったもの、実はそれこそが日本の「侍」だけが持つ魂、黒澤が描こうとした「侍とは何か」という問いの答えなのかも知れません。

そういう意味では、『七人の侍』と『荒野の七人』を見比べてみるのも面白いのではないでしょうか。

10/21

Amadeus

『アマデウス』

アマデウス

音楽界最大のミステリー

一九八四年製作の映画『アマデウス』は、一九七九年にイギリスの劇作家ピーター・シェーファーが戯曲を書いた同名の舞台を映画化したものです。

イギリスで大成功を収めた舞台『アマデウス』は、その後アメリカのブロードウェイに進出、ここでも大成功を収め、一九八一年にはトニー賞の演劇作品賞を受賞します。

そんな英米で大成功した舞台を映画化したのは、同じく舞台を映画化した作品『カッコーの巣の上で』(一九七五)で成功を収めていた、ミロス・フォアマン監督。脚本はピーター・シェーファーが映画用に書き直しました。

そして、舞台では再現できなかった、モーツァルトが作曲した、『フィガロの結婚』や『ドン・ジョバンニ』『魔笛』といった名作オペラのハイライトシーンが、ふんだんに盛り込まれているのもこの映画の見所の一つとなっています。

これは音楽界最大のミステリーとも言われる、十八世紀の作曲家ヴォルフガング・アマデウス・モーツァルト(一七五六~一七九一)の死を巡る物語です。

映画は、一八二三年のウィーン、一人の老人がカミソリで自分の首を切り、担架で精神病院に運ばれていくところから始まります。「許してくれモーツァルト、君を殺したのは私だ」そう言って自殺を図った老人の名はアントニオ・サリエリ。かつてウィーンの宮廷楽長を務めた作曲家です。

しかし、サリエリは本当にモーツァルトを殺したのでしょうか。殺したのだとしたら、なぜ、そして、どのようにして殺したのでしょうか。本作では、この謎が、精神病院の一室で、年老いたサリエリが若き神父に告白するという形で展開されていきます。

一七五〇年、イタリアのレニャーゴで生まれたサリエリは、幼い頃から音楽で身を立てることを夢見ていました。しかし、商人である父は音楽に理解がなく、サリエリが、自分より幼いモーツァルトが音楽家の父に連れられて各地で演奏していることをうらやましがると、「お前は猿回しの猿になりたいのか」と言う始末でした。

音楽こそが自分の全てだという思いを親に理解して貰えなかったサリエリは、教会で神に祈ります。「私は純潔を守り、生涯あなたを讃えます、だから私を偉大な作曲家にしてください」と。この祈りが通じたのか、その後間もなくサリエリの父は亡くなり、自由を得た彼は音楽家として羽ばたいていくことになります。そしてついに、オーストリアの皇帝ヨーゼフ二世に才能を認められ、ウィーンの宮廷で作曲家として活躍するようになったのでした。

しかし、そこに天才モーツァルトが現れたことで、彼は自分の才能が、彼に遠く及ばないことを痛感させられ、苦しむようになっていきます。

才能ほどには恵まれなかったモーツァルトの就職活動

モーツァルトが生まれたザルツブルクは、現在はオーストリア領ですが、当時は大司教が支配するカトリック教会の領土でした。ですから、父のレオポルドは宮廷楽士ですが、いわゆる王家の宮廷楽士ではなく、ザルツブルク大司教の宮廷楽士でした。

モーツァルトの才能の開花は早く、初めての作曲は五歳の時だと言われています。そんな息子を父レオポルドは誇り、大司教の許しを得て、ヨーロッパ各地の一流の宮廷に披露する旅に出ます。幼いモーツァルトが、ウィーンの宮殿で幼いマリー・アントワネットに「僕のお嫁さんにしてあげる」とプロポーズしたという有名なエピソードは、こうして親子でヨーロッパの宮廷を巡っていたときのものです。

その後もモーツァルト親子は、大司教との良好な関係を後ろ盾に、宮廷楽士の任にありながら、何度もヨーロッパ各地を演奏旅行をして回っています。

実は、父レオポルドがヨーロッパ歴訪に熱心だったのには理由がありました。彼は、モーツァルトを、ハプスブルク帝国の中心であるウィーンの宮廷に、作曲家として就職させたいと願っていたのです。

しかし、ウィーンの女帝マリア・テレジアは、モーツァルト親子に好感を持ちませんでした。事実、彼女の四男で、ミラノを治めていたフェルディナント大公が、モーツァルトを宮廷作曲家として迎えようとしたときには、わざわざ手紙で、もしもあなたが「世界中を乞食のように歩き回る」彼らを雇えば、あなたの地位に傷をつけることになるでしょう、と手厳しい言葉で諌《いさ》めています。

またその頃、ザルツブルクでも大きな変化がありました。モーツァルト親子を支援していた大司教が亡くなったのです。新たな大司教は、恐らくこのマリア・テレジアの手紙の件を耳にしていたのでしょう。一七七三年にモーツァルト親子がザルツブルクに戻ると、その後は、モーツァルトが演奏旅行を願い出ても、決して許しませんでした。

しかし、そんな裏の事情など何も知らないモーツァルトは、一七七七年、当時としてはかなり失礼な申請書を出し、大司教の怒りを買い、宮廷楽士の職を失ってしまいます。

すると、かつての演奏旅行で喝采を受けた記憶を持つモーツァルトは、意気揚々と、新たな職を求めてミュンヘン、マンハイム、そしてパリを歴訪します。しかし、この旅は彼にとって辛いことの連続でした。職は見つからず、思いを寄せた女性には振られ、パリでは愛する母を亡くしてしまいます。

仕方なくザルツブルクに戻ったモーツァルトは、再びザルツブルクの宮廷楽士となります。しかし、若く才能あふれるモーツァルトにとって、堅苦しい宗教音楽ばかりの環境は、耐えがたいものでした。

そうした中、一七八一年、ついにザルツブルクの外に出るチャンスが訪れます。ミュンヘンの宮廷から、モーツァルトにオペラの依頼が来たのです。他領からの正式な依頼では、大司教も許可せざるを得ません。

こうしてモーツァルトがミュンヘンで作曲している間に、もう一つの転機が訪れます。マリア・テレジアが亡くなり、弔問のためにウィーンを訪れた大司教から、モーツァルトに呼び出しがかかったのです。これは、大司教にとっては不本意なことでしたが、ウィーンの宮廷では、良くも悪くも、ザルツブルクの名は神童モーツァルトと結びついており、大司教は多くの人にモーツァルトのことを尋ねられ、彼を呼ばざるを得なくなったのです。

映画の中で、素晴らしい曲を披露し、客人たちの喝采を浴びるモーツァルトに対し、大司教が苦々しい顔をしているのは、こうした事情があってのことなのです。

なぜ『モーツァルト』ではなく『アマデウス』なのか

実際には、サリエリがいつどのような形でモーツァルトと出会ったのかはわかっていませんが、映画では、こうしてウィーンを訪れていたザルツブルク大司教が主催した音楽会で、サリエリ（マーリー・エイブラハム）が、初めてモーツァルト（トム・ハルス）の姿を見る様子が描かれています。

サリエリは、モーツァルトが、その優れた音楽の才能にふさわしい人格者であるに違いないと思っていました。しかし、彼が見た実際のモーツァルトは、女性のあとを追いかけ回し、卑猥《ひわい》な言葉を言い、ケタケタと下品に笑う若者であったことに衝撃を受けます（実際モーツァルトは、かなりのオシリ・オナラマニアだったようです）。

人間モーツァルトには幻滅したサリエリですが、彼の作り出す「神の声を聞くかのような」美しい音楽には魅了されます。そして、モーツァルトに興味を持った皇帝ヨーゼフ二世のもと、二人は共に宮廷作曲家として働くことになります。

皇帝や貴族たちは、モーツァルトの作品よりサリエリの作品を高く評価しますが、誰よりもモーツァルトの音楽の素晴らしさを理解できたサリエリは心が晴れません。自分の才能がモーツァルトのそれに遠く及ばないことを、彼は痛感していたからです。

自らの才能の矮小《わいしょう》さを嘆くサリエリは、やがて、神を恨《うら》むようになります。英語では才能を「ギフト／gift」と言いますが、誰からの贈り物なのかというと、他ならぬ神だからです。下品で傲慢なモーツァルトには素晴らしい才能を与えながら、純潔を守り謙虚に神を讃えてきた自分には、渇望とモーツァルトの才能を理解できる能力しか与えてくれなかった神を恨んだのです。

この映画はよく、非凡なモーツァルトの才能に嫉妬《しっと》した凡庸なサリエリが、モーツァルトを死へと追い詰めていく物語だと言われますが、この映画の中のサリエリが本当に恨んだのは、モーツァルトではなく神であることは、『アマデウス』というタイトルからもわかります。

タイトルに用いられている「アマデウス」が、モーツァルトを指しているのは明らかですが、では、なぜシェーファーはタイトルを「モーツァルト」にしなかったのでしょうか。

アマデウスを、モーツァルトのミドルネームだと思っている人は多いのですが、実はモーツァルトの本名に「アマデウス」は含まれていません。

モーツァルトの出生地であるザルツブルクの教会に登録された正式な名は、「ヨハネス・クリソストムス・ヴォルフガングス・テーオフィルス／Johannes Chrysostomus Wolfgangus Theophilus」。当時の教会は、記録文書にラテン語を用いていたので、これはドイツ語ではなくラテン語です。でも、これをドイツ語にしたからといって「アマデウス」という名が出てくるわけではありません。では、モーツァルトはいつから「アマデウス」という名で呼ばれるようになったのでしょう。

これについては、音楽評論家の石井宏氏の『モーツァルトは「アマデウス」ではない』（集英社新書、二〇二〇）に詳しく書かれていますが、一七七一年にイタリアのヴェローナにおいて、「アマーデオ／Amadeo」という「神の愛」を意味する言葉を、現地の新聞が、彼を賞賛する言葉として名前に冠して用いたのが始まりのようです。これ以後イタリアでモーツァルトは、度々「アマーデオ・モーツァルト」と呼ばれるようになり、ローマ法王から騎士の位を授与されたときの書類や、アカデミアの会員証明書など、数々の栄光に満ちた書類に、「アマーデオ／Amadeo」あるいは「アマデウス」（Amadeum）という名が記されることになったのです。

この映画のタイトルが『アマデウス』（神の愛）なのは、サリエリを苦しめ、結果的にモーツァルトを死に至らしめてしまった原因が、まさにこの「神の愛」の不条理さにあるからなのです。

サリエリは、神へ復讐するために、神が選んだモーツァルトの殺害を企てるわけですが、どのようにしてモーツァルトを死へ追いやるのかというと、映画では、モーツァルトが見知らぬ男から死者のためのミサ曲「レクイエム」の作曲を依頼されたという史実がうまく使われています。

「レクイエム」はモーツァルトの遺作として有名な作品ですが、死の直前まで作曲を手がけたものの、未完で終わった作品でもあります。モーツァルトが完成させることができたのは、全一四曲のうち一曲だけで、他の曲は一部のソロパートや断片的なスケッチが残されているだけでした。ですから、現在モーツァルトの「レクイエム」として知られている作品は、モーツァルトの未完の作品を、彼の死後に、弟子たちが完成させたものなのです。

ちなみに、この謎の依頼者は、実際にはフランツ・フォン・ヴァルゼックという伯爵で、氏名を明かさずに作曲を依頼したのは、完成した曲を自分の作品として発表するつもりだったからだということがその後の研究でわかっています。

モーツァルトを殺した男の実像

では、実際の歴史はどうなのでしょう。

本当にサリエリは、モーツァルトを殺したのでしょうか。

サリエリがモーツァルトを毒殺したという噂があったのは、歴史的事実です。

モーツァルトが亡くなったのは、一七九一年、まだ三十五歳という若さでした。早すぎる天才の死は、人々にその死が不自然なものだったのではないか、という疑念を抱かせました。事実、モーツァルトの死の一週間後にベルリンで発行された『音楽週報』には、モーツァルトの遺体が腫《は》れていたため、毒殺されたと信じる者もいる、と記されています。

しかしこの時点では、モーツァルトの死とサリエリが結びつくことはありませんでした。

サリエリがモーツァルトを毒殺したという噂が、ウィーンの街でどこからともなく囁かれるようになったのは、モーツァルトの死後三十年が過ぎた一八二〇年頃のことでした。

しかし、この単なる噂を、人々が「事実」として認知するきっかけとなった出来事が一八二三年に起きます。ドレスデンの新聞が、サリエリが熱に浮かされ自ら首を切って入院した、と報じたのです。これがウィーンでは、サリエリはモーツァルトを毒殺したと言って自殺を図って入院した、ということになってしまったのです。

しかし実際は、サリエリは自殺を図ったのではなく、転んで頭を打ったのが原因で、足が麻痺し入院しただけだったのです。

そしてさらに事態を悪化させたのが、その翌年、サリエリの教え子たちが参加したベートーベンの演奏会で、カリスト・バッシというイタリア人の詩人が、サリエリがモーツァルトを殺したと書いたビラを撒いたことでした。

こうして噂が過熱する中、一八二五年、サリエリは亡くなります。

サリエリの死後も噂は消えず、五年後の一八三〇年には、ロシアの文豪アレクサンドル・プーシキンが、この噂を題材に『モーツァルトとサリエリ』という戯曲を発表します。

そしてこの戯曲が、一八九七年にロシアの作曲家リムスキー・コルサコフによってオペラ化され、サリエリによるモーツァルト毒殺説が、再び世に広まることになります。

そのさらに八十年後、プーシキンの戯曲を下地とした新たな脚本が書かれます。それが、この映画の原作となったシェーファーの戯曲『アマデウス』なのです。

作曲家としてはその名声を忘れ去られたサリエリですが、『アマデウス』の成功で、またしても「モーツァルトを殺した男」として人々に知られることになったのです。

しかし、映画『アマデウス』の成功は、サリエリにとって悪いことばかりではありませんでした。なぜなら、この映画がヒットしたことで、サリエリの研究が進み、モーツァルトを殺した男という汚名がそそがれただけでなく、彼の業績や、作曲した楽曲の再評価が進むことになったからです。水谷彰良氏の『サリエーリ　モーツァルトに消された宮廷楽長』（音楽之友社／二〇〇四）は、まさにその成果の好例の一つと言えるでしょう。

この本の中でも、水谷氏は、「一九八六年から二〇〇三年までの一七年間に、イタリア国内だけでもサリエーリの全三八作のオペラ（生涯未上演のものも含めると四一作）のうち、八作が上演されている」と述べ、それが他の作曲家のオペラと比べて決して少ない数でないことを克明な数字を挙げて解説しています。

映画では、サリエリがモーツァルトの才能に激しく嫉妬し、次第にその行動が常軌を逸していく姿が印象的ですが、同時代における実際の評価はサリエリのほうが遙かに上で、むしろ嫉妬心を抱いていたのはモーツァルトのほうだったようです。

またサリエリは、作曲家として第一線を退いた後は、才能ある若者の指導に情熱を注いでいるのですが、彼はこれを無償で行っていました。彼が指導した者の中には、後に大作曲家と謳われるベートーベンやシューベルト、リストなどがいたこともわかっています。

つまり、実際のサリエリは、モーツァルトを殺した男ではなく、あくまでも、モーツァルトを毒殺したと噂されてしまった、偉大な音楽家だったということです。

噂の背景、ヨーゼフ二世の改革

では、なぜサリエリが、モーツァルト殺しの犯人に仕立て上げられることになってしまったのでしょう。その背景にあるのが、ヨーゼフ二世の改革と、それに伴うウィーン音楽界の内部抗争でした。

ヨーゼフ二世は、一七四一年にフランツ一世とマリア・テレジアの長男として生まれます。妹には、フランス革命で断頭台に懸けられたフランス王妃、マリー・アントワネットがいます。

ヨーゼフ二世については、高校の歴史の教科書で「啓蒙専制君主」としてそれなりの仕事をした人、と習ったことをご記憶の方も多いと思います。啓蒙専制君主とは、啓蒙思想を持った専制君主ということなのですが、彼がその治世で行ったことを見ると、彼が何を目指していたのかよくわかります。

ヨーゼフ二世がハプスブルク帝国の皇帝の座に就いたのは、父フランツ一世が亡くなった一七六五年。その後、彼の治世は一七九〇年まで約二十五年間続きます。といっても、その治世は、当初、母マリア・テレジアとの共同統治であり、彼女が啓蒙思想を嫌っていたことから、共同統治の間にも、彼はいくつもの改革を断行しているものの、本当に望む政治を行うことができたのは、マリア・テレジアが亡くなった一七八〇年以降の約十年間でした。

彼が行った改革は非常に多く、単独統治となった約十年間だけでも、法律は一万一〇〇〇件、布告は六〇〇〇件も出しています。その中で最も有名なのは、一七八一年の、農民に結婚と移動の自由を認めた「農奴解放令」と、カトリックとそれ以外のキリスト教徒を同等に扱う「宗教寛容令」でしょう。

ほかにも、貴族の税金免除の廃止、約七〇〇に及ぶ修道院の廃止、離婚を許可する「結婚勅令」の発布、官庁と教会による検閲の廃止、拷問及び死刑の廃止、総合病院の創設、貧民救済制度の創設など、数え上げたらきりがありません。

彼の目が貴族より民衆に向けられていたことは、一七六六年に「プラーター」と呼ばれる、ハプスブルク家の狩り場の一つを、憩いの場として民衆に提供したことからもわかります。そして人々がこれを喜ぶと、一七七五年には、同じく王家の狩り場である「アウガルテン」も、民衆に開放しています。

ちなみに、映画の後半に、モーツァルトが皇帝臨席のもと、庭園のテラスでコンサートを開いている間に、留守宅にサリエリが忍びこむというシーンがあるのですが、これは、一七八三年に実際にモーツァルトが、アウガルテン庭園のテラスで行ったコンサートをモチーフにしたものと思われます。

彼は多くの改革を断行していますが、その目的は、ハプスブルク帝国を、帝国という形を維持したまま、近代的主権国家に生まれ変わらせることでした。

ヨーゼフ二世の改革は、教会や貴族といった上層階級の特権を規制し、国民の自由や平等を認めるものであり、ある意味で、一七八九年にフランスの市民が起こした「革命」を、それに先駆けて皇帝が行おうとしたと見ることができるのです。

ドイツ語オペラは、ドイツ語公用語化のためのツールだった

ヨーゼフ二世が思い描いた「上から行う革命」の根幹となるものとして、彼が重視したのが、ドイツ語の公用語化でした。当時のハプスブルク帝国は本領であるオーストリアを中心に、ボヘミア（現在のチェコ）、ハンガリー、ネーデルラント（現在のベルギー）、その他大小の領邦国家などによる同君連合であったため、地域毎にさまざまな言葉が使われていました。そうした域内の公用語をドイツ語に統一することで、帝国の一体化を目指したのです。

しかし、そのためには、ある程度ドイツ語を普及させる必要がありました。そこで考えついたのが、演劇やオペラを使ってドイツ語を浸透させることでした。

すぐ行動に移すヨーゼフ二世は、単独統治となったその年（一七八〇）に早速、宮廷劇場であった「ブルク劇場」を国民のための劇場に改組し、そこで働いていたイタリア人と

フランス人の歌手を一掃し、これからはドイツ語でオペラを上演するよう命じます。

このとき、皇帝の命を受けて、国民劇場のためのドイツ語オペラ『煙突掃除人』を作曲したのが、アントニオ・サリエリでした。

映画の中では、宮廷楽士たちが反対する中、皇帝の希望でモーツァルトがドイツ語のオペラ『後宮からの誘拐』を作曲するというシーンがあります。映画ではこれが初めて作られたドイツ語オペラであるかのような印象を受けますが、実際にはその二年前の一七八〇年に、すでにサリエリがドイツ語オペラを作曲していたのです。

しかし、オペラによるドイツ語の普及というヨーゼフ二世の計画は、彼が思ったほどには成功しませんでした。理由は二つあります。一つは、オペラはイタリアで生まれた歌劇であったため、イタリア語で演じるものでなければならないというのが、当時の音楽界の常識だったこと。もう一つは、当時の宮廷楽士は、サリエリもそうですが、そのほとんどがイタリア人であり、オペラ歌手の多くもイタリア人だったからです。

それでも改革を急ぐヨーゼフ二世は、一七八四年にドイツ語を公用語と定める「言語法」を発布します。これ以後、公文書はもちろん、それまでラテン語で行われていた大学の授業も、全てドイツ語が用いられるようになります。

それでもオペラに関しては、イタリア語であることを望む声が根強く、この後もイタリア語のオペラが作曲・上演され続けることになります。一七八五年頃にモーツァルトが作曲したオペラ『フィガロの結婚』も、一七八七年の『ドン・ジョバンニ』もイタリア語のオペラです。

しかし、モーツァルトが人生の最後に完成させたオペラ作品『魔笛』は、大衆のために作られたドイツ語のオペラでした。

というのも、『魔笛』の作曲を依頼したのは、王侯貴族ではなく、一般大衆を対象とする劇団の座長エマヌエル・シカネーダーという人物だったからです。シカネーダーの依頼は、自分が書いた台本に曲をつけて欲しいというものでした。

そこでモーツァルトは、『魔笛』を作曲するにあたり、イタリア語で作曲された他のオペラとは異なる様式を用いました。それは、曲と曲の間の台詞を「レスタティーヴォ」と呼ばれる歌唱様式ではなく、音楽を伴わない芝居様式で行うというものです。

この様式は「ジングシュピール／歌芝居」と呼ばれるもので、それ自体はモーツァルト以前からあったものですが、『魔笛』の成功以降、ジングシュピールは、ドイツ語オペラの特徴の一つとなっていきます。

このように『魔笛』の成功がドイツ語オペラの様式を決定づけることになっていくわけですが、実はモーツァルトは、ヨーゼフ二世の依頼で作曲したドイツ語オペラ『後宮からの誘拐』（一七八二）や『劇場支配人』（一七八六）で、すでにこの様式を採用しているのです。つまり『魔笛』は、ヨーゼフ二世が蒔《ま》いたドイツ語オペラという種が、芽吹いたものだと言えるのです。

とはいえ、すでに述べたとおり、ヨーゼフ二世による単独の統治期間は約十年しかありません。しかも多くの改革をあまりにも性急に行ったため反発も激しく、一七九〇年にヨーゼフ二世が亡くなると、跡を継いだレオポルド二世は、改革の多くを中止してしまいます。

改革の道半ばで、自らの人生が終わることを悟ったヨーゼフ二世が、自らの墓碑銘に選んだのは、「よき意志を持ちながら、何事も果たさざる人ここに眠る」という自嘲とも取れる言葉でした。

「イタリア派」と「ドイツ派」の争いの中で

サリエリがモーツァルトを毒殺したらしい。

そんな噂が聞こえ始めるのは、前述のとおりモーツァルトが亡くなってから三十年が過ぎ、サリエリの人生も終盤にさしかかった一八二〇年頃のことでした。

一八二〇年頃、サリエリはすでに作曲家としては第一線を退いていましたが、老身ながら宮廷楽長の地位にありました。

当時のウィーンの音楽界は、かつてのようなイタリア一辺倒ではなく、ヨーゼフ二世が蒔いた種が成長し、ドイツ・ボヘミア系の音楽家が数多く育ち、イタリア・オペラ支持派と、ドイツ・ボヘミア系を支持する国粋主義者が、対立していました。

そうした中、ウィーンでロッシーニのイタリア・オペラ『湖の女』が大成功を収めます。当然、ドイツ・オペラを支持する国粋主義者たちは面白くありません。最初はこんな人気は一時的なものだと強がりを言っていた国粋主義者たちも、ロッシーニの人気が六年近くも続くと、さすがに放っておけなくなります。

ここまで言えばもうおわかりだと思いますが、絶大な人気を誇るロッシーニを直接攻撃できない国粋主義者たちが、イタリア派に一矢報いるため、いわばとばっちりのような形で攻撃されたのが、当時、ドイツ系音楽家が多くを占めていたウィーンの宮廷で、宮廷楽長をしていたサリエリだったのです。

サリエリにとって不幸だったのは、ちょうどこの頃、生前にはあまり高い評価が受けられなかったモーツァルトの作品の人気が高まり、ドイツ系音楽家の間で、モーツァルトの神格化が始まっていたことです。

これほど才能にあふれたモーツァルトが、当時評価されなかったのは、サリエリがその才能を妬《ねた》んで邪魔したからに違いない。何よりも、モーツァルトの書いた手紙の中に、サリエリが自分の成功を邪魔していると書いてあるではないかと過去の確執を引っ張り出して、イタリア人宮廷楽長サリエリを攻撃したのです。

この攻撃が、モーツァルトは毒殺されたのかも知れない、という噂と結びつくのに時間はかかりませんでした。噂が広がる中、サリエリは、最初は無視し、次は弟子たちを通して身の潔白を訴えますが、噂は一向に消えません。そうしたときに起きたのが、先に述べたサリエリの入院に端を発する誤報道だったのです。

結局サリエリは、一八二五年、自らの無実を証明できないまま亡くなります。その後、一八三〇年にプーシキンが『モーツァルトとサリエリ』という戯曲で、嫉妬に駆られたサリエリがモーツァルトに毒を盛って殺すという場面を書いたことで、サリエリは偉大な音楽家ではなく、モーツァルトを殺した男として人々に記憶されることになるのです。

近代

11／21

Les enfants du Paradis

『天井桟敷の人々』
画像提供：（株）コスミック出版

天井桟敷の人々

一人の美女と四人の男の恋物語

『天井桟敷《さじき》の人々』は、第二次世界大戦中、ナチス・ドイツの支配下にあったフランス・ヴィシー政権下（一九四〇～一九四四）で製作された映画です。

当時、パリでも映画製作は行われていましたが、独立した映画人の多くは、完全にナチス・ドイツの支配下に置かれていたパリよりは、自由な製作ができる非占領区の南仏に逃れていました。本作品の監督マルセル・カルネと、脚本家で詩人でもあるジャック・プレヴェールも、そうした南仏に移り住んだ映画人でした。

パリよりは自由がきくとはいえ、南仏でもドイツによる検閲は行われていました。そのためこの時期は、反ナチス・ドイツ的思想が現れやすい現代物ではなく、検閲に引っかかりにくい「過去の時代の話」や「昔話」をテーマとした作品が作られました。

マルセル・カルネ監督は一九三六年からジャック・プレヴェールの脚本で数々の作品を撮っていましたが、ヴィシー政権下で製作した最初の作品『悪魔が夜来る（Les visiteurs du soir）』（一九四二）も、騎士道物語華やかな十五世紀の中世を舞台に、昔話の要素を盛り込んだ作品となっています。

『悪魔が夜来る』がヒットしたことで、それ以上の大ヒットを期待して、三年三カ月の歳月と六〇〇〇万フラン（日本円にして約一六億円）という当時としては前例のない莫大な製作費をかけて作られたのが『天井桟敷の人々』です。

この作品の企画は、ニースのカフェで、カルネとプレヴェールが次回作の構想を練っていたとき、たまたまこの地を訪れていた俳優のジャン＝ルイ・バローと顔を合わせたときにした会話から生まれました。

ジャンには、かねてから憧れていた天才パントマイム役者がいました。それは、一八四〇年代のパリで活躍した、「バチスト」の愛称で知られたジャン＝ガスパール・ドゥビュローです。彼のこの話から、カルネとプレヴェールはバチストの話に、同時代に活躍したロマン派演劇の俳優フレデリック・ルメートル、さらに一八三六年にギロチンで処刑されたインテリ犯罪者ピエール・フランソワ・ラスネールという二人の実在の人物を加え、映画を作ったら面白いものになるのではないか、と考えついたのです。

その後、この実在の三人をつなぐ人物として美女ガランス、そしてもう一人ガランスに恋をする大富豪モントレー伯爵という架空のキャラクターを加えることで、史実と虚構を織り混ぜた至高のラブロマンス『天井桟敷の人々』が生まれました。

映画『天井桟敷の人々』は、第一部「犯罪大通り」と第二部「白い男」の二部構成、百九十分の大作です。

第一部は、ガランスという一人の美女に思いを寄せる四人の男性の恋模様が、一九四〇年代のパリ、多くの劇場や見世物小屋が建ち並ぶ犯罪大通りを舞台に繰り広げられます。

表向きはインテリな代書屋、でも裏では悪事を企む怪しい男ラスネール。

スリの濡れ衣を着せられ困っていたガランスを、見事なパントマイムで救ったことがきっかけで、彼女を愛するようになるフュナンビュル座のバチスト。

女性と見れば口説かずにいられない、口のうまい俳優フレデリック。

そして、舞台に立つガランスの美しさの虜《とりこ》となった大富豪モントレー伯爵。

四人の男は、ガランスにそれぞれのやり方で思いを寄せますが、ガランスは誰のものにもなりません。しかしある日、ラスネールに下宿を紹介したことで、強盗殺人未遂事件の共犯者と疑われてしまいます。窮地に追い込まれたガランスは、やむなくモントレー伯爵に助けを請います。

第二部はその数年後。ガランスが姿を消したパリで一座の看板役者となったバチストは、昔から彼を一途に思っていたナタリーと結婚し、息子を授かっていました。

フレデリックはフュナンビュル座を離れ、当代一の役者として活躍し、ラスネールは相変わらず悪事に身を染めていました。

そんなある日、フレデリックは、久しぶりに訪れたフュナンビュル座でモントレー伯爵夫人となったガランスと再会します。ガランスがパリに戻ったことで、彼女を取り巻く四人の男たちの人生は再び交錯し、大きく動いていくことになります。

一人の美女と四人の男のロマンスは、詩人ジャック・プレヴェールによる詩的な台詞の数々で美しく展開されていきます。「愛し合う者同士にはパリも狭い」という有名な台詞は、この映画を見たことがない人でも、耳にしたことがあるのではないでしょうか。

ちなみに、プレヴェールの詩で日本で最も有名なものは、シャンソン『枯葉』の歌詞ですが、実はこの『枯葉』は、やはりマルセル・カルネとプレヴェールがコンビを組んだ映画『夜の門（Les Portes de la Nuit）』（一九四六年公開）の挿入歌として使うために、プレヴェールが歌詞をつけたものです。

いい映画を作ることこそ映画人のレジスタンス

『天井桟敷の人々』は、一九四五年三月、ナチから解放された直後のパリで公開され大ヒットを記録したのを皮切りに、世界各地で公開され（日本公開は一九五二年）、その多くで大ヒットを記録していきました。

映画を見た多くの人が驚いたのが、物資不足が深刻だった戦時下のヨーロッパで、どのようにしてこれほど大がかりな映画を作れたのか、ということでした。

何しろこの映画では十九世紀前半のパリの「犯罪大通り」が、五〇軒以上あったとされる芝居小屋や見世物小屋、カフェや商店などとともに一六〇メートルを超える巨大なオープンセットで見事に再現されているのです。さらにその「犯罪大通り」を埋め尽くす群衆に、一五〇〇人ものエキストラが動員されています。当然ながらエキストラといえど、全員その時代に合った衣装が必要です。巨大なセットに膨大な数の衣装、それだけでも莫大な手間と経費がかかったことは想像に難くありません。

当初この映画のプロデューサーを務めていたアンドレ・ポールヴェは、「費用については、当時のニースには、旧フランス・フランの暴落を恐れて、持っていたお金を価値のあるうちに使ってしまいたいと考える映画関係者も多かったためなんとかなった。それに、そんな時代だからこそ、かつてない大がかりなセットと豪華な衣装で、最も贅沢な映画を作ろうというのが、われわれ映画人のレジスタンスだったのだ」と語っています。

今、「当初」と言ったのは、製作の途中でポールヴェがユダヤ系であったことが発覚し、仕事から外され、製作はパテ映画社に引き継がれたからです。

しかし、実はこの映画の製作に参加していたユダヤ人は、ポールヴェだけではありませんでした。映画のクレジットを見ると、美術監督アレクサンドル・トローネルと、音楽担当のジョゼフ・コスマのところに「Collaboration dans la clandestinite／占領下で非合法協力」と表示されているのに気がつきます。彼らはナチス・ドイツから逃れて、南仏の山奥に隠れ住みながら映画の製作に携わっていたのです。

この映画が戦争によって強いられた試練はこれだけではありません。映画完成直前の一九四四年六月に連合軍がノルマンディー上陸に成功し、フランスが解放されたことで、今度は対独協力者が追われる身になり、古着屋ジェリコ役の俳優が全シーンを撮り終える前に逃げてしまったのです。

そのため、古着屋ジェリコ役を急遽ベテラン俳優のピエール・ルノワール（画家オーギュスト・ルノワールの長男）に変更し、彼の登場するシーンが全て撮り直されたのです。

こうした戦争に伴うさまざまな試練に見舞われながらも、『天井桟敷の人々』が素晴らしい作品に仕上がったのは、良い映画を作ることこそが自分たちのレジスタンスだと考えた、フランス映画人たちの情熱の賜《たまもの》と言えるでしょう。

「華の都」以前のパリ

『天井桟敷の人々』は、公開の翌年である一九四六年に、世界最古の歴史を持つイタリアの映画祭、ヴェネツィア国際映画祭で特別賞を受賞。その後も、一九五二年に、キネマ旬報ベスト・テンの第三位、一九七九年には、フランスセザール賞特別賞を受賞すると共に、フランス映画芸術アカデミーが、映画人二〇〇〇人を対象に行ったアンケート「トーキー以後のフランス映画ベストテン」で見事一位を獲得するなど、長期にわたって高い評価を受け続けている名画です。

これほど長期に渡って高い評価を得ているのは、映画製作の背景もさることながら、それ以上にこの映画そのものが持つ力だと言えるでしょう。

この映画の魅力として多くの人が挙げているのが、詩人ジャック・プレヴェールによる詩的な台詞の脚本です。確かにプレヴェールの脚本は素晴らしいものですが、私がこの映画で最も感動したのは、実は脚本ではなく、見事に再現された一八四〇年代のパリの街並みと、そこで生きる庶民の姿です。

二〇二〇年十月、『天井桟敷の人々』は、作品生誕七十五周年を記念して、4K修復版のリバイバル上映がなされました。実はこのとき使われたキャッチコピーが、「19世紀、絢爛たる花の都へいざ！」というものだったのですが、私に言わせれば、このキャッチコピーは間違いです。なぜなら、この映画で再現されているパリの街は、「華の都」になる前の、「病める都」と言われたパリの姿だからです。

『天井桟敷の人々』第一部のタイトルにもなっている「犯罪大通り」とは、パリの北東に位置したタンプル大通りの通称で、当時、通りにあった多くの劇場で人気を博していたのが「犯罪メロドラマ」と呼ばれる大衆演劇であったことがその由来だと言われています。私たちの感覚では「犯罪メロドラマ」という名称に違和感を覚えるかも知れませんが、もともと「メロドラマ」とは通俗的な芝居の総称でした。通俗的な芝居の多くは、扇情的な音楽とともに上演されていたことから、ギリシア語で歌を意味する「メロス／melos」と芝居を意味する「ドラマ／drama」を組み合わせた言葉で呼ばれるようになったのです。

十九世紀のフランスで、そこにさらに「犯罪」という要素が加わったのは、当時人気を集めた大衆演劇の定番ストーリーが、善良な人々が悪人（犯罪者）に迫害され、追い詰められたところで逆転劇が起こり悪人に天罰が下るというものだったからです。

「犯罪大通り」と聞くと、恐ろしい場所のような印象を受けますが、実際の通り自体は特別危険だったわけではなく、映画で描かれているとおり、多くの人々が行き交う当時の人気スポットでした。

少々「犯罪大通り」の説明が長くなりましたが、この通りは現在は存在しません。都市では、建物は変わっても大きな道はあまり変わらないことが多いのですが、パリの街は例外です。なぜならパリは一八五三年から十七年の歳月をかけて大改造が行われているからです。「華の都」と謳われる美しいパリはこのときの大改造によって生まれたものです。

コレラが蔓延する「病める都」

パリの大改造を行ったのは、一八五二年に人民投票で圧倒的な支持を得、大統領から終身皇帝になったナポレオン三世（在位一八五二〜一八七〇）でした。

大統領就任（一八四八）当初から、パリの大改造を目指していたナポレオン三世は、皇帝に就任するやいなや、当時ジロンド県知事であったウージェーヌ・オスマンをセーヌ県知事に任命し、パリの大改造を命じました。

大改造以前のパリは、狭く暗く汚い街路に、多くの人々がひしめき合うように暮らしていました。

そんなパリの街が「病める都」と呼ばれるようになったのは、度重なるコレラの蔓延がきっかけでした。最初の大流行は一八三二年。当時のパリの人口約八〇万人のうち、約一万八〇〇〇人が亡くなり、一八四九年の二度目の大流行では、人口約一一〇万人のうち約一万六〇〇〇人が亡くなりました。こうした悲惨な大流行が繰り返される原因が、パリの衛生状態にあることは明らかでした。

ヴェルサイユ宮殿にトイレがなかったというのはよく知られた話ですが、王宮になかったぐらいですから、庶民の家にトイレがあるはずがありません。トイレがなくても人間が生活している以上、排泄物は日々生じます。では、それら排泄物はどのように処理していたのかというと、各自が室内のおまるに用を足し、それを夜、人通りが少なくなった頃を見計らって、窓から街路に投げ捨てていました。

革命以前のパリの人口は約六〇万人。それが十九世紀に入ると急激に増え、ナポレオン三世の時代には一一〇万人を超えていたのですから、約半世紀でほぼ倍になりました。

しかも、当時の「パリ」の範囲は今よりもかなり狭く、三三・七平方キロメートルしかありませんでした。わかりやすくたとえると、東京の山手線の内側の面積（約六三平方キロメートル）の半分の広さに一一〇万人が生活していたということです。大改造前のパリがいかに人口過密都市だったかおわかりいただけるでしょう。

『天井桟敷の人々』では、多くの人々が通りを埋め尽くしている様子が、膨大な数のエキストラを使って再現されていますが、実際、当時のパリは、狭い範囲に多くの人々がひしめき合うように暮らしていたのです。

人口が倍増したことで、パリの衛生環境はさらに劣悪なものになっていきました。

増加する人口を収容するため建物は高くなり、パリの街をくねくねと縫うように走る狭い街路は、日中でも陽当たりが悪くジメジメとしていました。そのため夜中に撒かれた汚物は乾かず、常に悪臭を放っていました。

街路には、道の真ん中に排水路があったものの、その溝は細く浅く、蓋《ふた》もなかったため、雨が降ると汚物を洗い流すどころか、道全体が汚物混じりの川になるという悲惨な状態でした。当時すでに下水道は存在していましたが、普及率は極めて低いうえ、管が細かったため大雨が降ると下水があふれ、住居に流れこむこともあるという、ほとんど使い物にならない代物でした。

ちなみに、当時の下水道の様子は、映画『レ・ミゼラブル』(二〇一二)で見ることができます。また、この映画の原作であるヴィクトル・ユゴーの『レ・ミゼラブル』の第五部には、大改造以前のパリの下水道についての詳しい記述もあるので、ご興味のある方は一読されてみるのも面白いでしょう。

下水の不備に加え、パリの衛生状態を悪化させていたもう一つの問題が、清潔な水が極めて少なかったことです。ナポレオン一世の時代にパリの上水道の整備が行われていましたが、人口が急増したパリにとってそれは十分なものではなく、大改造以前のパリ市民は、市内の泉やセーヌ川から水運搬人によって運ばれた水を使用していたと言います。

しかし、そのセーヌ川の水も決してきれいなものではありませんでした。セーヌ川には下水がそのまま放流されていたからです。

上水が完備されていなかったため、パリの庶民は洗濯もセーヌ川で行っていました。

セーヌ川には洗濯船と呼ばれる洗濯をするために特別に改造された専用の船が何十艘も並び、人々はそこで使用料を払って洗濯をしていました。

『天井桟敷の人々』第一部の最後のほうで、警視がガランスに対し、犯人の特徴を「黒ずくめの男で上品で白いシャツを着ている。白いシャツだぞ！」と言って詰め寄るシーンがあるのですが、この意味がおわかりでしょうか。当時の庶民にとっては「白いシャツ」は目印になるほど珍しいものだった、ということです。

水質が悪いセーヌ川での洗濯では、洗濯物も真っ白というわけにはいきません。当時、洗濯物をきれいに仕上げるには、時間とお金をかけて、水のきれいな郊外の農村部に洗濯物を出す必要があったのです。

こうした衛生状態では、コレラのような伝染病が蔓延するのは、当然の帰結でした。

オスマンのパリ大改造

なぜこうした劣悪な衛生状態が十九世紀の半ばまで放置されていたのか、と疑問に思われたことでしょう。フランス人の多くがこれでいいと思っていたわけではありません。革命後のフランスは、政治的不安定な状態が長く続いたため、都市整備を行いたくても行う余裕がなかったのです。

パリ大改造の発案者はナポレオン三世ですが、その実務を任されかつてない規模の大改造を断行したのは、前述のとおりウージェーヌ・オスマンでした。そのためこの事業は「オスマン化」とも称されています。

オスマンが計画・断行した改造は、大きく次の四項目に分けられます。

①道路の整備と建設
②公園・広場の整備と建設
③建造物の修復と建設
④上下水道の整備と増設

広くまっすぐに生まれ変わったパリの街路は、街に光と新鮮な空気を取り込んだだけでなく、人や物資の流通を円滑にし、経済を活性化しました。凱旋門の立つエトワール広場から放射線状に広がる道が、五本から一二本に増設されたのもこのときでした。

また、道幅の拡張には、この他にも、かつての不安定な政治状況の中で度々行われた、市民によるバリケードの構築を防止する目的もあったと言われています。

全ての細く薄暗い裏道が拡張されたわけではありませんが、ろうそくが用いられていた街灯をガス灯に切り替えることで、そうした裏道も格段に明るくなったのは間違いありません。

こうした道路の整備で失われた居住区を補うと共に、過密な人口を分散するため、周辺の村々を合併吸収し、行政区を現在の二〇区に増やしたことで、パリの面積は七八平方キロメートルへと倍増しています。

そして、拡大されたパリの東西に位置する、ヴァンセンヌの森とブローニュの森には、池や遊歩道、広場などが整備され市民の憩いの場として提供されました。特に西側のブローニュの森の景観は美しく、隣接するロンシャン平原に、世界屈指の美しさを誇るロンシャン競馬場が作られたこともあり、貴族たちの新たな社交の場へと変貌を遂げました。

衛生上最大の問題となっていたパリの上下水道も、画期的な整備がなされました。

このときナポレオン三世とオスマンが目指したのは、カエサルの時代にすでに市民一人あたり一日一八〇〇リットル使用できたと言われる「ローマの水道」でした。

そのローマも、もともとはパリと同じように水源に恵まれた都市ではありませんでした。

しかし、古代ローマ人の清潔な水に対するこだわりは非常に強く、遠くの水源から莫大な経費と労力を費やし水道を引いています。古代ローマには一一本もの水道が引かれていましたが、その中で最長の「マルキア水道」（建造、紀元前一四四～前一四〇）は、なんとローマから九一キロメートルも離れたアニオ川上流から、地下水路と水道橋を経由してローマまで水を運んでいるのです。

こうした上水に対するローマ人のこだわりは首都ローマに限ったものではなく、彼らが征服した土地でも上水道を建設しています。事実、世界遺産として知られるフランス南部のガール県ガルドン川にかかる水道橋ポン・デュ・ガールは、一世紀に古代ローマ人によって造られたものです。

パリにローマの水道を引くことを目指したナポレオン三世は、実際にポン・デュ・ガールを訪れ、大規模な修復工事を行っています。

庶民の力の象徴「天井桟敷」

『天井桟敷の人々』は、こうした大改造によって美しく洗練された街に生まれ変わる前のパリを舞台にしています。そこは庶民にとって不衛生で暗い街だったことは確かです。しかし、そこで生きていた人々まで暗かったわけではありません。

この映画のタイトルにもなっている「天井桟敷」とは、劇場の最上段、天井近くに設けられた舞台から最も遠い立ち見席です。値段が安いので、天井桟敷のチケットを買うのは、貧しい庶民でした。

映画の中でも、モントレー伯爵や彼の妻となってパリに戻ってきたガランスが座っていたのは舞台に近いボックス席です。静かに舞台を見る彼らとは対照的に、天井桟敷の人々は、舞台で繰り広げられる一挙手一投足に対し、ヤジや歓声を手すりから身を乗り出して送っています。落ちれば命の危険すらある危うい場所なのに、そんなことを気にする者は一人もいません。

彼らの様子は乱雑で、人によっては下品だと感じるかも知れません。しかし、そうしたどうしようもなさやくだらなさ、乱雑だけれど素直なエネルギーの発露こそ庶民の持つ力なのだとも言えるのではないでしょうか。

私がこの映画で最も印象に残ったのは、役者一家の恥さらしと父親に罵倒《ばとう》され、本人もただぼーっと客寄せ口上の舞台に座っていたバチストが、ガランスを助けるために、まるで別人のように生き生きとパントマイムを披露する場面です。

バチストに限らず、この映画に登場する人々は、みな相反する個性を有しています。その時々に奔放な男女関係を楽しむガランスは、バチストへの純粋な愛を持ち続け、女性と名誉とお金を貪欲に求めるフレデリックも、ふとした瞬間に驚くほど無欲な一面を見せます。そして、狡猾な犯罪者ラスネールでさえ……。

善人が時には悪人になり、悪人が善人の顔を覗《のぞ》かせ、臆病者が勇気を見せ、優しい人物が残酷な振る舞いをする。しかし、本来人間というのはそうしたものです。どちらかがその人の本質なのではなくて、どちらもその人なのです。

そうした人間本来の混沌は、変化を生み出すエネルギーでもあります。天井桟敷で無邪気に混沌を爆発させている人々は、そのことを象徴しているのではないでしょうか。

フランスは、革命前後からその庶民の持つエネルギーに突き動かされる形で国民国家へと変わっていきます。そして、混沌から生まれた国民国家フランスの首都パリは、大改造によってその混沌を脱ぎ捨てるように、美しく洗練された近代都市「華の都パリ」へと変貌を遂げます。

実は大改造当時、パリの急激な変化に対し、賛否両方の声がありました。中でも混沌としたパリの街にインスピレーションを得ていた芸術家の中には、パリの急激な変化を嘆く者も少なくありませんでした。実際この大改造を目の当たりにしていた詩人のシャルル・ボードレールは、詩集『悪の華』に収録された「白鳥」という詩の中で、「古いパリはもうなくなった」と、失われたパリの風景を惜しんでいます。

この詩の中でボードレールは、都市の変化の速さは人の心の変化の速さに勝ると言っていますが、街の変化は、ゆっくりとその街で暮らす人々の暮らしを変化させ、街と同じようにそこに住む人々の心を変え、洗練された近代人へと変化させていきました。

マルセル・カルネは、検閲にかかりにくいという理由で、時代物を製作したと語っていますが、その中でも敢えてこの時代を選んだのは、パリがナチに占領されたという屈辱の中、人々に失われたパリの姿を見せることで、かつてそこにあったどんな環境にも屈しない庶民のエネルギーを思い出して欲しいという思いがあったのかも知れません。

時代物の映画というのは、どうしても王族や貴族といった上流社会をテーマにしたものが多く、庶民の生活を描いた作品は多くありません。そういう意味では、歴史書に残らない庶民の生活を実に丁寧に再現しているこの映画は、非常に貴重な作品と言えるでしょう。

12/21

Gone with the Wind

『風と共に去りぬ』

風と共に去りぬ

太平洋戦争開戦を阻止できていたかもしれない名作!?

映画『風と共に去りぬ』は、まさに「不朽の名作」と言って過言ではない作品です。私ぐらいの年代の人はもちろん、映画好きの人なら、若い人でも一度は見たことがあるのではないでしょうか。

物語の主人公は、南部の農場主の長女として何不自由なく育った気性の激しい娘スカーレット・オハラ（ヴィヴィアン・リー）。映画では、彼女の十六歳から二十八歳までの約十二年間の波乱の半生が、紆余曲折《うよきよくせつ》を経てスカーレットの三番目の夫となるレット・バトラー（クラーク・ゲーブル）との恋愛を軸に展開されていきます。

そういう意味では、この作品は恋愛映画とも言えるのですが、南北戦争が始まる一八六一年から、戦時下、そして戦後の再建期のアメリカ南部の都市アトランタが舞台となっていることから、南部の人々の目を通して見た、南北戦争とその後の再建期を描いた壮大な歴史映画だとも言えます。

でも、私がこの映画で最も心を動かされたのは、映画の内容だけではありません。実はこの映画が作られたのが、第二次世界大戦前だということなのです。

日本では、映画の公開が遅れ、一九五二年（昭和二十七年）にやっと公開されたため誤解している人もいるようですが、三年の歳月をかけて製作されたこの映画が完成したのは、なんと一九三九年、昭和で言うと十四年のことです。つまり、太平洋戦争が始まる二年も前に完成した映画なのです。

なぜこうした年代が重要なのかというと、もしも、この映画が戦争前に日本で公開されていたら、日本人の誰もがアメリカと戦争しようとは思わなかったのではないか、と思うからです。

私がこのことをいろいろな所で言うと、皆が半分笑って「そうだ、そうだ」と言って同意してくれるのですが、笑いごとではなく、私は本当に心から当時この映画が公開されなかったことを残念に思うのです。

一九三九年は、日米開戦の二年前です。日中戦争はすでに始まっていましたが、まだ多くのアメリカ映画が公開、上映されていました。ではなぜこの映画は、当時日本で公開されなかったのでしょう。少し調べてみると、「時局に合わない」と判断されたためらしいのですが、何がどう合わないのか、詳しい理由までは述べられていませんでした。

でも、この映画をご覧いただけば、理由は自ずとわかります。

この映画を見てしまったら、こんな凄い映画を作ることができる国と戦争しても到底勝ち目はない、ということが誰の目にも明らかになってしまうからです。

『風と共に去りぬ』は、三時間四十二分という超大作で、かつ当時最先端の彩色技術であったテクニカラーを用いたフルカラー作品です。カメラワークも多彩で、シーンによっては合成技術も駆使されています。またシーンごとの音楽も素晴らしく、現在でも全く古くささを感じさせるところがありません。

今見てもそう思うのですから、当時の日本人が見たら、作品からにじみ出る国力の差を嫌でも痛感させられたことでしょう。

事実、戦時中に上海で『風と共に去りぬ』を見た小津安二郎監督が、「こんな豪華な映画を撮るアメリカに戦争で勝てるわけがない」と言ったという逸話が残っています。

ちなみに、同時期の日本映画にはどのような作品があったかというと、溝口健二監督の『残菊物語』や、火野葦平《ひのあしへい》の同名小説を映画化した田坂具隆《たさかともたか》監督の『土と兵隊』などが知られています。

太平洋戦争が始まる前、近衛文麿首相がアメリカ留学経験を持つ山本五十六に日本の勝算を下問したとき、「ぜひやれといわれれば、初め半年か一年の間は随分暴れてご覧にいれる。しかしながら、二年三年となれば、全く確信は持てぬ」(近衛文麿著『失はれし政治』)と答えたという話は有名です。アメリカと日本の国力の差を実際に見てきた山本にとっては、やる前から勝敗のわかりきった、無謀な戦いだったということです。

そう思うと、もしもこの映画が当時公開されていれば……、と残念に思わずにはいられないのです。

南北戦争の実像

一八六一年から一八六五年まで、アメリカ合衆国が南北に分かれて戦った戦争を、日本では「南北戦争」と言いますが、アメリカ人は単に「The Civil War／内戦」と言います。

この戦争は非常に激しいもので、それは戦死者の数から読み取ることができます。第一次世界大戦における死者が約一一万人、第二次世界大戦では約三〇万人、それに対し南北戦争では、南軍の死者が約二九万人、北軍の死者が約三六万人と、合わせて六〇万人以上の死者が出ているのです。

このように南北戦争は、戦争そのものが悲惨だったということもあるのですが、アメリカ人同士で争ったという精神的な負担が、「再建期」と呼ばれる戦後はもちろん、その後も長くしこりとして残ったという意味でも、アメリカ史上最悪の戦争だったと言えます。『風と共に去りぬ』は、戦争に敗れた南部の人々の物語なので、そうしたアメリカ人同士の確執を南部目線で知ることができます。

例えば戦争後に、スカーレットがタラの農園に課せられた多額の税金を支払うために、フランク・ケネディと二度目の結婚をし、北部の人間を相手に商売をして大儲けをするという件《くだり》があります。このとき北部から来た人間を相手に商売をすることに、南部の人々が激しい嫌悪感をスカーレットにぶつけると、彼女は「北部が南部から奪ったものを取り返してやるのよ」と答えますが、彼女の考え方は理解されません。こうしたやりとりは、誇り高き南部人の多くが、北部の人間と関わること自体を忌み嫌っていたことを示唆しています。

アメリカがイギリスから独立を勝ち取ったのが一七七六年、それからわずか百年弱で、アメリカ人同士が激しい戦争を繰り広げることになってしまった理由は何だったのでしょう。奴隷解放を巡る争いと言われることの多い南北戦争ですが、南北対立の根幹にあるのは、実は奴隷制度ではなく、南部と北部の気候風土の違いに基づく「産業構造の違い」にありました。

アメリカが独立したときの州の数は一三、いずれも東海岸沿いに南北に広がっていました。その中の北部七州の産業は繊維や機械など工業を中心としており、南部の六州は暖かい気候を活かした農業、特に綿花プランテーションが産業の中心でした。

こうした産業構造の違いは、政治的な違いに直結していきました。

当時のアメリカの工業製品は、ヨーロッパのものと比べると技術水準が低く、国際競争力はほとんどありませんでした。そのため北部の人々は、国内市場の拡大と、関税強化の必要性から連邦政府の力を強化する「連邦主義」の立場を取っていました。

対する南部は、主な生産品である綿花の輸出先はヨーロッパであったため、国を挙げての関税の引き上げには強く反対していました。アメリカ全体で関税を引き上げると、安価で質の良いヨーロッパ製品を購入できなくなる上、綿花の売り上げも落ちる危険性があったからです。そのため、南部では州ごとに関税を決められる「州権主義」を主張していました。

アメリカ黒人奴隷の始まり

北部と南部の対立は関税問題だけではなく、奴隷問題とも深く関係していました。北部は工業が中心だったので、早くから機械化が進み、労働力としての奴隷を必要としない産業構造でしたが、南部の中心産業である綿花プランテーションでは、労働力として多くの黒人奴隷を抱えていたからです。

人間を家畜のように動産として所有・使役する「奴隷」の存在は、文明の発祥とほぼ同時に認められています。記録に残る最も古い奴隷の供給源は、戦争捕虜や借金のかた、異民族の略奪などでした。

私が専門とするローマ史においても奴隷は重要なファクターの一つです。なぜなら、古代ギリシアや、古代ローマにおいても、貴族や為政者たちが豊かな生活を送り「文明」を花開かせることができたのは、奴隷という労働に特化した人間の存在があったからに他ならないからです。

同じように、南部で綿花プランテーションを営む人々の豊かな生活を支えていたのは、多くの黒人奴隷の存在でした。

とはいえ、アメリカ南部のプランテーションは、開拓当初から黒人奴隷を労働力として いたわけではありません。南部の農場で最初に安価な労働力として使役されていたのは、「年季奉公人」と言われる白人でした。年季奉公人の多くは、イギリスの貧民や流刑者たちでした。一般の年季奉公人は、アメリカへの渡航費と現地での生活費を雇い主が負担する代わりに、一定期間（大抵は四年間）、過酷な労働に甘んじるという契約を結びます。契約期間内は雇い主が年季奉公人を自由に売買することが認められていたので、年季奉公人は、事実上の「白人奴隷」でした。一方、流刑者の場合は、年季期間が七年から十四年と長い上、自らの意思で契約した者たちではなかったので、反抗的な者も多く、暴力と監視によって厳しく管理されていました。

年季奉公人のデメリットは、使役できる期間が短いことに加え、逃亡されると外見から見つけ出すことが難しかったことです。そこで、十七世紀中頃から白人年季奉公人に代わる労働力として導入されるようになったのが、本国イギリスが行った悪名高き「三角貿易」によって植民地に持ち込んだ黒人奴隷でした。

黒人奴隷最大のメリットは、逃げ出しても外見ですぐに見つけ出せることと、年季という期限がないことでした。そして白人の年季奉公人はそのほとんどが男性でしたが、黒人奴隷は男女問わず購入することができたので、子供が生まれれば、新たに高額な奴隷を購入する必要がなくなることでした。

アメリカが奴隷貿易を禁止するのは一八〇八年のことですが、南部では、それ以前の一七九六年にはすでに奴隷輸入が事実上禁止されていました。それでも、一八〇〇年に八九万四〇〇〇人だったアメリカの黒人奴隷の数は、一八六〇年には三九五万四〇〇〇人に増加しているのです。

つまり、南北戦争の頃に、南部一帯に広がっていた綿花プランテーションの労働を担っていたのは、こうしたアメリカで生まれ育った黒人奴隷たちだったのです。

そしてもう一つ、ここが興味深いところなのですが、アメリカ植民地側で黒人奴隷貿易を、極めて有益な職業だとして大規模に従事していたのは、北部の大商人や船主だったということです。

私たちは、南北戦争の際に北軍が奴隷解放を掲げて戦ったことや、黒人奴隷のほとんどが南部で使われていたことを知っているため、北部は最初から奴隷解放に積極的だったのだろうと思い込んでいますが、実際は違います。

事実、一七七六年の独立宣言において、原案に盛り込まれていた奴隷貿易禁止に強く反対し、その文言を削除させたのは、南部の大規模農場主たちではなく、奴隷貿易で利益を得ていた北部の商人たちだったのです。

奴隷を巡る南北の対立

南部の州と北部の州の対立は独立当初からありました。それでも、南北の数のバランスが保たれていた間はまだ良かったのですが、西部開拓によって新たな州が誕生する度に、問題が生じました。

新州が南北どちらに帰属するのかは、各州の代表による連邦政府において、話し合いで決められることになっていたのですが、双方利権が絡んでいるため、話し合いはいつも紛糾し、なかなか決着がつかなかったからです。

そこで、この問題を解決するため一八二〇年に制定されたのが「ミズーリ協定」です。

これによって以後新設された州は、北緯三六度三〇分を境に、以北を北部、以南を南部とすることが定められました。北部は奴隷制を認めないことから「自由州」、南部は「奴隷州」とも呼ばれます。

しかし、これで一件落着かというと、そううまくはいきませんでした。新たな火種となったのは、ゴールドラッシュの影響で人口が増加したカリフォルニアが、一八五〇年に州に昇格したことでした。北緯三六度三〇分を跨《また》いで広がるこの州の帰属は、ミズーリ協定では裁定できません。結局、州議会で話し合いが行われ、最終的に自由州への帰属が決まったのですが、南部はこれに強く反発しました。なぜなら、南部に大きく食い込んだカリフォルニアが自由州になってしまうと、逃亡奴隷が増加する危険性があったからです。

裁定に反発した南部は、一八五〇年「逃亡奴隷法」を強化しますが、その内容が過酷なものであったことが今度は北部の奴隷解放主義者を刺激し、秘密結社「地下鉄道」による黒人奴隷の逃亡援助が盛んに行われるようになり、北部と南部の対立はさらに深まっていきました。

そして、両者の対立を戦争という最終手段に発展させた出来事が起きます。一八六〇年十一月の大統領選挙で、奴隷解放を掲げたリンカーンが当選したのです。

リンカーンが大統領に就任したら、奴隷制が廃止されてしまう。そうなったら南部は立ち行かなくなってしまう。そう考えた南部は、奴隷制を含む南部の伝統を認めないのであれば自分たちは合衆国から独立するとして、独自にジェファソンを大統領とする「アメリカ連合国（南部連合）」の独立を宣言したのです。そして、正式にリンカーンが大統領に就任するまでの数カ月間を利用し、南部に位置する要塞を南軍の支配下におくべく行動を開始したのでした。

多くの要塞が南軍の支配下に入りましたが、サウスカロライナ州チャールストン港に位置する要塞の司令官トーマス・サムターは、あくまでアメリカ合衆国に忠誠を誓うとして、南軍の支配下に入ることを拒絶しました。南軍がこれを攻撃すると、司令官はリンカーンに援軍を要請し、大統領がこれに応じ派兵したことで南北戦争の火蓋《ひぶた》が切られることになったのです。

北軍勝利の決め手となったゲティスバーグ演説

南北戦争は当初、南軍優勢で展開されていきます。というのも、南軍には南部の伝統と生き方を守るという明確な目的があり、兵士たちの士気が高かったのに比べ、北軍は明確な大義名分を持っていなかったからです。

南部が強く反発した「奴隷解放」についても、リンカーンはこの時点では言及していませんでした。大統領選で「奴隷解放」を謳ったリンカーンが、なぜ南北戦争では、すぐにそれを掲げなかったのかというと、リンカーン自身は奴隷問題に確固たる意思を持っていなかったからなのです。

ではなぜ選挙で「奴隷解放」を掲げたのでしょう。これは、端的に言えば北部での票集めのためです。先に述べたとおり、北部の中心産業は工業で、国内市場の拡大を目指していました。そこで彼らが新たな市場として目をつけたのが、南部で増え続ける黒人奴隷たちでした。彼らは奴隷である限り、賃金を貰えないので消費者になり得ませんが、彼らを奴隷から解放し、賃金労働者にすれば、そこに新たな需要が生まれ、市場が拡大すると考えたのです。

もちろん時代の風潮として、人間を家畜のように所有したり売買する奴隷制度に対する純粋な批判精神も存在したことは事実です。しかし、奴隷貿易による利益を重視し、独立宣言から奴隷制禁止の文言を削除させたのが北部の人々であったことを考えると、すでに奴隷貿易が禁止されていた当時、彼らに黒人の存在を自分たちの新たな利益に結びつけようという考えがあったことも確かでしょう。

リンカーンが「奴隷解放宣言」を正式に発布し、苦戦が続く北軍の士気高揚に利用したのは一八六三年一月のことですが、そのわずか五カ月前の一八六二年八月に、熱心な奴隷解放論者の共和党員ホレス・グリーリの質問状に対し、彼は次のように答えています。

「この戦いにおける私の最高目的は連邦を救うことであって、奴隷制度を救うことでもなければ、それを破壊することでもない。もしも、私が一人の奴隷も解放しなくても連邦を救えるものなら、私はそうするだろう。また、もしも、私がすべての奴隷を解放することによって連邦を救えるものなら、私はそうするだろう。そして、もしも、私が、一部の奴隷を解放し他のものをそのままにしておくことによって連邦を救えるものなら、私はそうするだろう」

リンカーンにとって奴隷解放は、政治家生命をかけて取り組むべき課題などではなく、あくまでも北軍を勝利に導き連邦政府の安定を取り戻すための手段に過ぎなかったということです。そしてこの言葉どおり、リンカーンはこの手段を実に効果的に使い、北軍の士気を高め、ヨーロッパから南部への支援を断ち切らせ、一八六三年の南北戦争最後の激戦、ゲティスバーグの戦いを北軍勝利に導きます。

ゲティスバーグの戦いにおける戦死者は両軍あわせて約五万人。あまりにも数が多かったため、両陣営は遺体の回収を諦《あきら》め、現地に葬りました。

こうして作られたゲティスバーグ国立戦没者墓地での式典（同年十一月）において、リンカーンが行ったのが、「人民の、人民による、人民のための政治」という有名なフレーズで知られるゲティスバーグ演説なのです。

南北戦争自体はその後も続き、最終的には一八六五年四月に南軍の降伏によって終結します。勝敗はすでに、リンカーンがこのゲティスバーグ演説で、人々の心を摑んだ時点でほぼ決まっていたと言っても過言ではないでしょう。

南部における白人と奴隷の絆

北軍の勝利を受け、アメリカ合衆国は、憲法修正第一三条によって黒人奴隷制度を正式に廃止します。敗れた南部の州には、この修正第一三条に批准することを条件に、復興資金が給付されました。

『風と共に去りぬ』の後半は、戦後のアトランタを舞台に物語が展開されるのですが、興味深いのは、少数ではありますがオハラ家に戦前からいた黒人奴隷たちが、変わらずスカーレットに仕えていることです。彼らは北軍が攻め込んできたときも、逃げずに主人たちと行動を共にし、貧しい生活の中でも文句も言わず誠実に仕え続けます。特に奴隷であり乳母の役目を担ったマミーのスカーレットに対する献身は、実母エレンを失った後のスカーレットにとって、かけがえのない精神的支柱となります。

黒人奴隷と白人主人の間の絆なんて、映画ならではのきれいごとだと思いますか？

私はそうは思いません。なぜなら、映画の原作であるマーガレット・ミッチェルの小説『風と共に去りぬ』には、こうした白人の主家と黒人奴隷の間の深い信頼関係が存在していたことが、実に丹念に記されているからです。それはマミーとスカーレットの関係に限られたものではありません。ビッグサムやプリシー、そのほか映画には登場しませんが、プリシーの母親ディルシーや、ウィルクス家のピーターといった奴隷たちとの関係の中でも巧みに描かれているのです。

小説『風と共に去りぬ』が出版されたのは一九三六年。文庫本にして五冊という長編小説であるにもかかわらず、出版されるやいなや大ベストセラーとなり、翌年にはピューリッツァー賞を受賞しました。すぐに映画化が決まり、製作されたのが、この映画『風と共に去りぬ』なのです。

ミッチェルは一九〇〇年にアトランタで生まれ、終生アトランタを離れなかった生粋《きっすい》の南部女性です。父のユージンと兄のスティーヴンスはアトランタを中心とするジョージアの歴史に造詣《ぞうけい》が深く、二人の影響でミッチェル自身も南部の歴史について豊富な知識を持っていました。彼女を取り巻く環境には、南北戦争や再建期を経験した人も多く、彼女は自分自身の体験ではなかったとしても、当時の南部の人々についての生きた知識を持っていたのです。

そしてもう一つ、私がこれをきれいごとなどではないと考える根拠は、ローマ史においても同様の事象が見られるからです。

たとえば、マルクス・アントニウスの奴隷も主人の犯行現場の目撃者でありながら、主人に不利な証言をしなかったと言います。アントニウスは奴隷が拷問に屈して不利な証言をするのではないかと恐れていたのですが、奴隷は拷問されても何も言わなかったのです。

彼らの立場は、確かに奴隷であり、それ自体は不当な従属関係であることは事実ですが、そうした中でも培《つちか》われる人間同士の信頼関係や絆というものは、確かに存在したのだと思います。誤解していただきたくないのですが、だからといって、私は奴隷制をよしとするものではありません。ただ、傍《はた》からは一方的な支配と被支配に見える関係であっても、当人同士にとっては、その中でうまくいっていた部分があることは、理解すべきだと思うのです。

歴史を見るとき、現代人の価値観や善悪の基準を押しつけてしまうと、見えなくなってしまうものがある、ということです。なぜ南部の人たちは命がけで北部と戦い、北部は奴隷解放を掲げたのでしょう。そうした往時の人々の気持ちについて考えるツールとして、私は映画というのはとても重要なものの一つだと思うのです。

13/21

Il gattopardo

『山猫』
© Alamy/ ユニフォトプレス

山猫

二人の末裔によって忠実に再現された「貴族の世界」

一九六三年に公開（日本公開は一九六四年）された映画『山猫』は、第一六回カンヌ映画祭（一九六三）で最高賞であるパルムドールを受賞、イタリア映画界の巨匠ルキノ・ヴィスコンティ監督の代表作と言っていい名作です。

原作は、両シチリア王国で代々宰相を務めた家柄の貴族の末裔であるジュゼッペ・トマージ・ディ・ランペドゥーサ（一八九六〜一九五七）が著した、歴史小説『山猫』。主人公サリーナ侯爵ドン・ファブリツィオは、彼の曾祖父ジューリオ・ファブリーツィオ・トマージ・ランペドゥーサだと言われています。

原作の小説『山猫』については、拙著『20の古典で読み解く世界史』で取り上げているのでそちらに譲りますが、こちらも非常に優れた作品です。小説の映画化には、作品世界を表現しきれていないなど、さまざまな難点も含みはしますが、映画『山猫』は、映像化されたことで、現代人の想像力だけではどうしてもイメージしきれない当時の貴族世界を、リアルに感じ取れるものとなっています。

キャストも素晴らしく、主人公のサリーナ侯爵はバート・ランカスター、彼の甥タンクレディは『太陽がいっぱい』（一九六〇）で一躍スターダムに駆け上ったアラン・ドロンが、新興有力者となった村長ドン・カロジェロの美しき娘アンジェリカには、ヴィスコンティの『若者のすべて』(一九六〇)でアラン・ドロンと共演経験を持つクラウディア・カルディナーレが配され、それぞれ好演しています。

しかし、映画にここまでのリアリティをもたらしたのは、何よりも監督ルキノ・ヴィスコンティの力であったことは間違いありません。というのも、ヴィスコンティ自身、北イタリア有数の貴族であるモドローネ侯爵家の出身だったからです。つまり、この映画は、原作者と監督、二人の貴族によって再現された、非常にリアリティの高い歴史映画なのです。

特に興味深いのは、映画『山猫』のハイライトと言える舞踏会のシーンです。原作では全八章の中のわずか一章(第六章)、原稿量で言うと一〇分の一ほどしかないこの舞踏会のくだりに、ヴィスコンティが、全体の三分の一の時間を費やしていることです。

映画の初公開時に、あまりにも舞踏会のシーンが長いということで、配給会社の20世紀フォックスが四十分近くも大幅なカットを加えたという、いわくがあるほどです。

では、なぜこれほど長い時間をこのシーンに費やす必要があったのでしょう。

こうした疑問に対しヴィスコンティ自身は、『山猫 (ヴィスコンティ秀作集3)』(新書館)の中で、「これは原作の変更ではなく、この素晴らしい本のページに含まれているさまざまな葛藤や、色彩や、価値や光景を象徴的に要約する観点から行われた」と答えています。

この言葉どおり、彼はこのシーンに一切の妥協を許さない撮影を行っています。

撮影場所には本物の貴族の館が使われ、衣装や小道具は可能な限り当時と同じ製法で作られたものを使用しているのはもちろん、参加しているエキストラも、その約三分の一に本物の貴族たちを起用しているという徹底ぶりです。

また、この舞踏会のシーンでは、多くの人々が手にした扇でパタパタとあおいでいるのですが、これは人工の光源を使用することを嫌い、自然光と当時用いられていたろうそくだけを用いて撮影したために、大量に灯されたろうそくの熱によって、室内が蒸し風呂のような暑さになっていたためなのだそうです。

貴族には貴族にしかわからない価値観と誇りがあります。恐らく、原作者であるランペドゥーサが作品に込めた思いが、貴族的な意識を持つヴィスコンティには、それが余人にはわからないレベルで理解できたのだと思います。あの長い舞踏会のシーンは、そうした貴族の心情を表現する上で、大きな意味を持つ大切なシーンだということなのでしょう。

十九世紀半ばを読み解くキーワード「解放」

物語の舞台は、一八六〇年五月から一八六二年の十一月にかけてのシチリア島。イタリア統一運動（リソルジメント）によって、イタリア王国が成立していく、その変革のときをドン・ファブリッツォという、シチリアの伝統的な貴族の目を通して描いています。

そのためこの映画を理解するには、イタリア統一の歴史的背景を知っておく必要があります。

一七八九年のフランス革命以降、西ヨーロッパでは国民国家の形成が進んでいましたが、領邦国家のドイツとイタリアは、その流れに乗り遅れていました。そうした中、十八世紀末に始まったナポレオン戦争によって、イタリアはその大部分をフランスの支配下に置かれてしまいます。

その後、ナポレオンが失脚すると、ウィーン議定書（一八一五）のもと、ヨーロッパ世界の秩序の回復が目指されますが、イタリアにおいては、それは封建的な大国による支配の復活を意味していました。そんな大国の封建的な束縛に対し、イタリアでは自由主義やナショナリズムを掲げ、統一を目指す動きが高まっていたのです。

ウィーン体制下のイタリア北部は、フランスとオーストリア（ハプスブルク帝国）という大国の影響を受けていました。北イタリア東部のロンバルディアとヴェネツィア地方はオーストリアの支配下にあり、北イタリアの西部サルディーニャ王国は、ウィーン議定書によってかつての領土を回復したものの、フランスとオーストリアという二つの大国の影響を受けながら均衡を保たなければなりませんでした。

イタリア半島はというと、北部にはトスカーナ公国、中部のローマを中心とする地域はローマ教皇領、半島南部とシチリア島はスペイン＝ブルボン王家の血統を受け継ぐ両シチリア王国がそれぞれ治めるという分裂した状態でした。

イタリアの統一は、最終的にサルディーニャ王国によってなされますが、統一運動自体は、民間の秘密結社カルボナリによる蜂起（一八二〇）から始まります。オーストリア支配からの脱却を掲げて、北部のトリノと南部のナポリで同時にカルボナリが蜂起、しかし、オーストリアの軍事介入によってこの動きはすぐに鎮圧されてしまいます。

その後一八三一年に、若き日にカルボナリに参加していたジュゼッペ・マッツィーニが「青年イタリア」を結成し各地で反乱を指導しますが、これも悉《ことごと》く失敗してしまいます。

そして迎えた一八四八年。この年は、世界史的にはマルクスとエンゲルスがロンドンで『共産党宣言』を出した年として知られていますが、ヨーロッパでは、フランスで二月革命が起き、さらにウィーン、ベルリン、ミラノなど各地で革命が連鎖的に起きた、いわゆる「諸国民の春」の年としても記憶されています。

なぜこの時期に、各地で連鎖的に革命が起きたのでしょう。

ごく簡単に言えば、一七八九年のフランス革命のときに掲げられた「自由、平等、博愛」というスローガンが、それから半世紀を経て、ようやく本当の意味で人々の意識や価値観の中に浸透した、ということです。

自由、自由と言うが、何が本当の自由なのか、平等とはどういう状態のことを言うのか、そうしたことを人々が考え、さらに、どうすればそれを実現できるのかと、自分たちなりに答えを出していったとき、自由を求めた人々は自由主義を掲げて立ち上がり、平等に意識をフォーカスしていった者は、社会主義や共産主義という理想を掲げ世に訴えた、ということなのです。

これは世界的な風潮で、例えば、奴隷解放を掲げて戦ったアメリカの南北戦争（一八六一～一八六五）や、日本の明治維新（一八六八）もその大きな流れの中で、起こるべくして起きた出来事だと言えます。

日本の場合、浦賀沖にペリーがやってきたのが一八五三年、そこから欧米のさまざまな思想が流入し、当初は尊皇攘夷を掲げて外国人の排除に奔走した攘夷派の人々も、次第に世界の実情がわかってくると、今度は一転して外国の先進文化を取り入れて、旧来の封建社会からの解放を一気に推し進めていったのです。

ですから、歴史家の中には『共産党宣言』を特別視する人もいますが、マルクスやエンゲルスが突出していたということではなく、十九世紀半ばという時代そのものが、資本主義や共産主義を目指しただけでなく、さまざまな意味で人々が束縛から「解放」されていった時代だったということです。

変わらぬことを目指した山猫

「諸国民の春」と呼ばれる一連の革命の中で最も有名なのは、フランスの二月革命ですが、実は革命の先鞭をつけたのはシチリア島のパレルモで起きた革命でした。

一八四八年一月十二日、この日は両シチリア王国の国王フェルディナンド二世（在位一八三〇～一八五九）の誕生日でした。シチリアの農民たちは、「不誠実な国王に対するお祝い」と称して蜂起しました。武装した市民・農民は、総督をシチリアから追い出し、スペイン＝ブルボン王家の支配からの独立を宣言しました。

このとき臨時政府も発足し、発布された憲法には「主権はシチリア全市民に属する」と明記されていました。

しかし、シチリア島だけで独立を保てるわけもなく、臨時政府はサルディーニャ王国の国王の次男、ジェノヴァ公アルベルト・アメーディオを君主に指名します。ところが当時、オーストリアと戦っていたサルディーニャ王国はこの申し出を断ります。こうしてシチリアの革命は潰《つい》えたのでした。

しかし、この後のイタリア統一を考える上で、失敗したとはいえ、この革命が一つの布石となったことは見逃せない事実です。なぜなら、このとき革命に失敗したシチリア人の多くが亡命した先がサルディーニャ王国だったからです。そして、その亡命者の中の一人であるフランチェスコ・クリスピが、共和制によるイタリア統一を目指す「青年イタリア」のマッツィーニを支持し、後にシチリアでの民衆蜂起を準備するとともに、一八六〇年のガリバルディのシチリア遠征を画策したからです。

ガリバルディは、当時のイタリア人にとって、すでに英雄と言って過言ではない存在の軍事指導者でした。若き日に「青年イタリア」の影響を受けたガリバルディは、マッツィーニが指導する各地の蜂起に参加したのち、一八五九年から始まった第一次イタリア統一戦争（対オーストリア）では最前線で戦い、その武勇を轟《とどろ》かせた人物でした。

クリスピは、オーストリアとフランスが講和を結んだことで戦闘途中で撤退を余儀なくされたガリバルディに、シチリア遠征を促したのです。

映画『山猫』は、一八六〇年、シチリア島内の民衆反乱に呼応する形で、ガリバルディ率いる千人隊（通称「赤いシャツ隊」）がシチリアに上陸し、島内の空気が変わってきたところから始まります。

パレルモの郊外に建つサリーナ侯爵ドン・ファブリツィオの館では、庭の木の下でブルボン王家軍の兵士の死体が発見され、甥のタンクレディは、いち早く反乱軍に加わります。

タンクレディは侯爵の姉の息子ですが、父親が財産を使い果たして亡くなってしまったため、十四歳のときからファブリツィオが後見人として面倒を見ていました。時勢に聡く野心家の彼を侯爵はとてもかわいがっていました。

公爵自身は、両シチリア王国に忠誠心を持っていましたが、タンクレディが言うように、もはやイタリア統一の流れは止められないこともわかっていました。

革命を恐れ、島内の貴族たちが逃げ出す中、誇り高きサリーナ侯爵は、どちらの勢力にも与せず、できるだけそれまでと変わらぬ日々を送ることを選びます。革命軍が検問をする中、敢えて例年通り領地であるドンナフガータの別邸に家族とともに向かったのもそのためでした。

ドンナフガータの人々は以前と変わらず公爵に敬意を示し歓迎しますが、村の様子は大きく変わっていました。この時期シチリアには、混乱に乗じてうまく立ち回り、大きな資産を蓄えた新興有力者が現れるのですが、ドンナフガータで村長をしていたドン・カロジェロ・セダーラは、まさにその典型でした。

公爵の、ドンナフガータでの最初の夜の晩餐会に招かれたドン・カロジェロは、娘のアンジェリカを伴って訪れます。

『山猫』の、このアンジェリカの登場シーンは、非常に印象的です。アンジェリカは、誰もが目を見張る圧倒的な美女であるにもかかわらず、タンクレディが語る戦場での野蛮な話を聞きたがり、下品なジョークに高笑いをするなど、レディにあるまじき振る舞いを見せます。公爵家の人々は、そんなアンジェリカの下品さに眉をひそめますが、タンクレディは彼女の美貌とパッションに強く惹かれていきます。

二人の思いを知った公爵は、身分違いの婚約を認め、二人の未来のために尽力するのでした。

サリーナ公爵に凝縮されたシチリアの歴史

新しい時代に突き進んでいくタンクレディとアンジェリカは非常に魅力的なキャラクターです。アラン・ドロンとクラウディア・カルディナーレが演じる、美男美女のこのカップルは、まさに新しい時代の象徴にふさわしい輝きを放っています。

しかし、この映画で最も魅力的な登場人物は、没落の道を受け入れながらも、誇り高く生きるサリーナ公爵だと私は思います。

原作によれば、公爵の年齢は五十歳を少し過ぎたところで、体は大柄でたくましく、妻との間に七人の子供を授かっていましたが、その精力は今もまだ衰えていない。バート・ランカスターの演じるサリーナ公爵は、威厳に満ちており、原作のイメージ通りです。

趣味は天文学と狩猟。映画の中では天文学についてはは多く触れられていませんが、彼の書斎が私設観測所であったことは、天球儀やいくつもの立派な望遠鏡によって表現されています。さらに、イタリア新政府の上院議員に推薦したいと、公爵のもとを訪れたシュヴァレイが「お人柄は申すに及ばず、科学の面でも功績がおありになる」と言っていることから、公爵が実績のある天文学者であることがわかります。

実は、こうしたサリーナ公爵のキャラクターには、シチリアの歴史が凝縮されていると言えます。

シチリアは、イタリアの中でも特別な場所です。

映画の中でサリーナ公爵は、「シチリア人は老いている。二十五世紀にもわたってさまざまな外国文化の重みを負ってきたが、自らの文化を生むことはできなかった。二千五百年の間植民地だったのです」とシュヴァレイに語っていますが、その言葉どおり、シチリア島は常に時の権力者の支配を余儀なくされ続けてきた歴史を持ちます。

地中海の中程に位置するシチリア島は、古代から地中海貿易の要衝《ようしょう》として栄えた島です。広さは約二万五〇〇〇平方キロメートル、日本でたとえると四国より大きく、九州より小さいくらいの広さです。古くから農作物が豊かに実るシチリアは、紀元前三世紀にローマ最初の属州となります。古代ローマの政治家、大カトーは、シチリアを「ローマの穀倉《こくそう》、ローマ平民の乳母」と称しましたが、シチリアがローマ帝国化の礎となったと言ってても過言ではないのです。

四世紀になりローマの支配力が弱まると、ゲルマン人の興したヴァンダル王国に支配され、五世紀には東ローマ帝国に組み込まれ、八世紀になると侵攻してきたイスラムの支配を受けます。

十一世紀になると、ノルマン人が南イタリアに進出し、南イタリアを制圧したロベルト・ギスカルドの弟、ルッジェーロがイスラム勢力を駆逐し、シチリアを支配。一一三〇年、ルッジェーロの跡を継いだ息子のルッジェーロ二世は、ローマ教皇から王位を承認され、シチリア王国が誕生します。

実は、こうした被支配の歴史が、サリーナ公爵が天文学者であることと繋がっているのです。

映画『アレクサンドリア』の解説で、キリスト教徒の台頭が、ヨーロッパにおいて古代ギリシア・ローマの叡智を失う事に繋がったという話をしました。そして、『薔薇の名前』では中世の教会が、イスラムに伝わっていたそれら古代の知識を蒐集し、ラテン語に翻訳したことも述べました。この二つの出来事を繋ぐミッシングリンクとも言うべき場所が、他ならぬシチリア島だったのです。

八世紀から十一世紀にかけて、イスラムの支配下にあったことで、シチリア島には多くのムスリム（イスラム教徒）と共に、かつてアッバース朝の都バグダッドにあった「知恵の館」において、ギリシア語からアラビア語に翻訳された古代ギリシア・ローマの文献が入ってきていました。

その後、ノルマン人がシチリアを支配したことで、ヨーロッパは再び古代ギリシア・ローマの叡智と再会することになったのです。

そして今度は、パレルモのキリスト教教会において、アラビア語の文献がラテン語に翻訳されていきました。当時、イスラムの支配者は駆逐されましたが、土地に根付いたムスリムが数多く居住していたパレルモは、翻訳に最適な場所でした。

こうして古代の文献を求めて、ヨーロッパ各地の教会から修道士がシチリアに集まり、十二世紀のパレルモは一大研究都市へと変貌したのです。つまりシチリアは、いわゆる

「十二世紀ルネサンス」の源流地でした。

映画の中で公爵がシチリアには「神父が多すぎる」と言うシーンがありますが、これはかつて、やってくる多くの修道士を収容するために、教会が数多く造られた名残なのです。

そして、公爵自身が優れた天文学者になり得たのも、シチリアに学問研究の伝統が息づいていたからに他なりません。

シチリアのその後と公爵のその後

サリーナ公爵は、シチリアの歴史の体現者だと言えます。

シチリア独特の風土と特殊な歴史、映画の中で公爵はシチリアが新生イタリア王国に併合されたからといって、何も変わらないと度々語っています。もちろん、支配者が変わることで、自分たち貴族の生活が以前と同じようにいかないことは十分に理解しているのですが、それでも「何も変わらない」と言うのです。

では、何が変化しないのか。それは、シチリアという土地と、そこに生きるシチリア人の本質なのでしょう。

新政府の上院議員の誘いを断ったサリーナ公爵が、ドンナフガータの路地にいる子供たちの、いかにも貧しい様子に眉をひそめたシュヴァレイに、言うともなく語った言葉にその思いを見ることができます。

「我々は山猫だった。獅子であった。やがて山犬やハイエナが我々にとって代わる。そして、山猫も獅子も山犬や羊すらも、自らを地の塩と信じ続ける」

山猫はサリーナ公爵の家紋、「地の塩」というのは、『新約聖書』の「マタイによる福音書」に記載されている「山上の垂訓《すいくん》」でのキリストの言葉に基づくもので、「社会のために尽くし、人々の模範となる人」を意味する言葉です。

サリーナ公爵自身、貴族としての傲慢さはあったものの、領民を虐《しいた》げる領主ではありませんでした。そのことは、革命が成功した後も、領民たちが以前と変わらぬ尊敬をもってサリーナ公爵に接していることから見て取れます。

ここら辺の事情は映画だけだとわかりませんが、原作には、領民たちの生活が苦しいときに、サリーナ公爵は「賦課金やほんのわずかな地代を請求するのをよく忘れていた」とあり、彼が寛大な領主であったことが記されています。

つまり、ときの権力者、為政者は、自分たちこそが「地の塩」だと信じて、結局は同じようなことを繰り返しているということです。だからこそ、「何も変わらない」のです。

事実、イタリア統一後も、シチリアには封建的な土地制度が残り続け、北部イタリアにその富の多くが搾取され、シチリアの人々はイタリアの中でも取り残されたような貧しい生活が続いていくことになるのです。

映画『山猫』は、豪華絢爛な舞踏会の後、サリーナ公爵が夜明けの街を、馬車にも乗らず一人で歩いて去っていくところで終わります。

この明暗のコントラストは素晴らしく、舞踏会の華やかさが、より一層、その中で一人自らの老いと忍び寄る死の影を強く自覚する公爵の姿を浮かび上がらせます。この「老いと死」はもちろん公爵自身だけのものではなく、貴族という階級そのものが内包しているものでもあります。

私は映画『山猫』に感動し、その後、原作を読んだのですが、映画はここで終わって良かったと思っています。それは映画だからこそ得られる感動と、二十年後の公爵の臨終までが書かれた小説だからこそ得られる感動には、やはり少し違いがあると思うからです。

あのラストは、映画だからこそ美しいのだと思います。

『山猫』は、映画も原作の小説も名作です。ぜひ、両方合わせて楽しんでいただきたいと思います。

14/21

幕末太陽傳

『幕末太陽傳』

幕末太陽傳

喜劇の傑作

『幕末太陽傳』は、一言で言うなら「とにかく面白い」映画です。

公開は一九五七年（昭和三十二年）。今から六十五年以上も前のモノクロ映画ですが、今見てもその面白さは全く色あせることがありません。まさに、時代に左右されない喜劇の傑作と言っていいでしょう。

古い日本の映画の時代物というと、若い人には敬遠されがちですが、純粋に楽しめる映画なので、ぜひ一度見ていただきたいと思います。幸い、二〇一一年に、翌年日活が創業百周年を迎えることを記念して、デジタル修復されているので、現在は映像も音声もクリアなものを見ることができます。

監督は夭折の天才と謳われる川島雄三。脚本は、川島が田中啓一（山内久の別名）、今村昌平（この映画で助監督を務めた）らとともに、古典落語の世界を縦横無尽に料理したオリジナルストーリーです。

ネタ元となっている落語は、「居残り左平次」を柱に、「品川心中」「三枚起請《きしょう》」「お見立て」。川島監督は、こうした古典落語を組み合わせるだけでなく、幕末に実際に起きた、長州藩士による御殿山《ごてんやま》の英国公使館焼き討ち事件を上手く組み合わせ、グランドホテル形式の脚本に仕上げています。喜劇なので、落語や歴史の予備知識がなくても十分楽しめるのですが、知識があればさらに面白く見ることができます。

時代は文久二年（一八六二）。明治維新まであと六年という江戸時代の末期、約二百七十年続いた江戸幕府の屋台骨が揺らぎ、尊皇攘夷を叫ぶ志士たちが幅をきかせていました。舞台は品川宿の高級妓楼《ぎろう》「相模屋」。ちなみにこの相模屋は、外装が海鼠《なまこ》塀の土蔵造りだったことから「土蔵相模」と通称された実在の妓楼で、英国公使館焼き討ち事件の際に、高杉晋作ら長州藩士がここを根城としていたことも史実です。

主人公は、落語「居残り左平次」に登場する左平次。一文無しのくせに妓楼で盛大に遊び、いよいよ勘定となると、文無しだから払えないと開き直り、自ら布団部屋へ入り込んで「居残り」を決め込んでしまう。通常、妓楼の居残りというと、家族や知り合いがお金を持ってきてくれるまで肩身の狭い思いをしながら過ごすものですが、左平次は違います。お客のもとに酒や肴《さかな》を手早く運んだり、店で困りごとが起きると持ち前の機転で解決したり、男衆の仕事もご祝儀もせしめて、店から重宝がられる存在になっていくのです。

この左平次を演じたのは、フランキー堺。彼は、ジャスドラマーとしてデビューした、役者としては少し変わり種ですが、その軽妙な演技がとにかく素晴らしいのです。

この映画には、当時のスター俳優が贅沢に使われています。

高杉晋作役には石原裕次郎、久坂玄瑞《くさかげんずい》役に小林旭《あきら》、志道聞多《しじぶんた》（後の井上馨）役に二谷英明、相模屋で妍《けん》を競う女郎「おそめ」と「こはる」役には、左幸子と南田洋子がそれぞれ配されています。他にも芦川いづみ、山岡久乃、菅井きん、岡田眞澄、小沢昭一とまさに豪華キャストなのですが、フランキー堺の名演はその中でもひときわ輝いています。

幕末の「太陽族」

日活の創業は大正元年（一九一二）、日本で最も古い映画製作会社です。創業当初の社名は「日本活動フィルム株式会社」。無声映画の製作から始まり、トーキーの時代になると阪東妻三郎や片岡千恵蔵などのスターを輩出しましたが、一九四二年、戦時体制下に製作部門を切り離されて以降、日活は映画配給会社となっていました。

その日活が、かつての製作スタッフを集めて映画製作を再開したのが、終戦から約十年経った一九五四年のことでした。

当時の映画製作は現在とは違い、スタッフはもちろん、監督や俳優も映画製作会社に専属所属していたため、日活が製作を再開するためには、監督や俳優を他社から引き抜く必要がありました。しかし、当時の他の製作会社（松竹、東宝、大映、新東宝、東映）からすれば、自社の監督や人気俳優を引き抜かれたのでは堪《たま》りません。そこで、引き抜きを阻止すべく、各製作会社は専属の監督・俳優の引き抜きを禁止する「五社協定」を結んで対抗しました。

引き抜きができなくなり困った日活は、再開後しばらくは、新国劇や新劇といった劇団の俳優に頼りつつ、ニューフェイスの育成に力を入れます。これが功を奏し、日活は宍戸錠や長門裕之、川口浩、小林旭といった新たなスター俳優を生み出すことに成功します。

そして一九五六年、石原慎太郎の小説『太陽の季節』の映画化が大ヒットしたことで、日活は石原裕次郎という新たなスターを獲得したのです。

もともと裕次郎は、俳優としてではなく、登場人物の使う湘南言葉を指導するためにこの映画に参加していたのですが、慎太郎が、「この小説は裕次郎と仲間の連中をモデルにして書いた」と言うだけあって物怖じしないし、カメラテストをするとスタイルがいいので非常に映えるというので、そのまま映画に出演することになったのです。

『太陽の季節』が大ヒットしたことで、大映も負けじと石原慎太郎原作の『処刑の部屋』を映画化、日活も、立て続けに慎太郎の小説『狂った果実』を映画化します。この作品で裕次郎は主演を務め、一躍、日活のスターダムに上ります。

映画は興行的には大成功を収めますが、『太陽の季節』や『狂った果実』に登場するそれまでの倫理観にとらわれず奔放に生きる戦後の青年たちの姿は、「太陽族」という言葉を生み出し、一種の社会現象にまで発展したことで、世間から大きな風当たりを受けることになってしまいました。

『太陽の季節』の主人公竜哉（長門裕之）は、高校生でありながら酒もタバコも博打《ばくち》も女遊びもするという、いわゆる「不良」です。そのためこんな不良映画は青少年に悪影響を及ぼすということになり、各地で未成年者の観覧を禁止する自主規制が展開されたのです。

私は裕次郎のファンなので、ここで弁明をしておきますが、慎太郎が小説を書くにあたり、裕次郎とその仲間をモデルとしたことは事実ですが、小説は小説であって、実際の裕次郎たちが作品にあるような不良行為をしていたわけではありません。

当時の裕次郎は大学生ですから、お酒ぐらいは飲んでいましたが、彼らはいわゆる「硬派」であって、無体な喧嘩はしませんし、ましてや一般家庭の女性に手出しするようなことは一切していません。これは、私が裕次郎とその仲間たちが作った「元祖会」のメンバーと長年交流を持っていた人物から直接聞いた話なので間違いありません。

しかし、実態よりは作品が生み出したイメージのほうが影響力が強いのが世の常で、「太陽族＝不良」という認識が広まってしまったのです。

ちなみに、このときの「太陽族映画」に対する自主規制が社会的問題となったことがきっかけで、それまで映画業界の内部組織だった「映画倫理規程管理委員会」、いわゆる「映倫」が業界から切り離され、外部の有識者によって運営される「映画倫理委員会」として生まれ変わることになったのです。いかに『太陽の季節』の影響が大きなものだったかがおわかりいただけるでしょう。

主役はあくまで左平次

さて、こうした経緯もあって、日活は製作再開三周年記念映画の製作が決まった当初、太陽族ものを離れ、シリアスな文芸作品を作ることを考えていました。ところが製作を依頼した川島監督が出してきた企画は落語をストーリーの柱とした喜劇。しかも時代物とはいえ幕末維新の志士を当時の太陽族に見立てたともとれるものでした。タイトルにも「太陽」という言葉が入り、太陽族を象徴する裕次郎を志士のリーダーである高杉晋作にキャスティングしたこともあり、川島と日活の間でかなり軋轢《あつれき》を生じたと言います。

しかし、この映画の主役は、幕末の志士ではなく、あくまでフランキー堺演じる居残り左平次という庶民です。

実際この映画の中では、二枚目の代表のような裕次郎演じる高杉晋作よりも、容姿では劣る左平次のほうがモテるのです。数多くの男を手玉に取るおそめもこはるも、左平次の布団部屋まで乗り込んで「あっちと添っておくれ」「わっちら二人のうち、どっちが好きなのさ」と迫るのですから凄い。見ている男たちは、左平次のどこがそんなにいいのかと思いますが、こはるの台詞がその疑問の答えとなっています。

「こんなご時世にゃ、面は少々はんちくでも、お前さんみたいな図々しい人でなきゃ頼りにならないんだよ」

ところが左平次は、「おいらは女は断っているんだ」と二人とも袖にしてしまうのです。

さらに、高杉を見送るシーンでは、「旦那はお侍には惜しいねぇ」と言い、高杉はそれに「世辞を申すな」と笑って返します。常識的に考えれば、お侍のほうが身分はうえなのですから、失礼な言い分です。それが左平次が言うと失礼にならないのは、彼のほうが上手《うわて》をいっているからなのです。

そしてこの映画を傑作たらしめているのは、こうした左平次の口八丁手八丁、いろんなアイデアを出して周りの人を助けながら自分は金儲けをしていくキャラクターと、それを生き生きと描く絶妙な動きとテンポの良さなのです。

この作品で美術を担当した千葉一彦氏がインタビューで語っていたのですが、川島監督はこの「テンポ」というものを非常に重視していたそうです。そこで音楽担当の黛敏郎氏が、監督がイメージするテンポをスタッフや演者たちに伝えるのにこの曲はどうですか、とアラム・ハチャトゥリアンが作曲した「剣《つるぎ》の舞」を提案したところ、川島監督は「それだ!!」と大喜びし、以来、映画の中で使った訳ではありませんが、この曲をイメージして撮影が進められたといいます。

そう言われてみると、左平次がクルクルと廓《くるわ》の中を走り回る様子は、「剣の舞」の軽妙で速いテンポにぴったり合っているような気がします。

さらに千葉氏は同じインタビューで、左平次がテンポ良く動けるよう、階段の段差を普段のものより少し低くするという工夫を施していたことも明かしています。

黒船来航により日本は激動の時代へ

「泰平の眠りをさます上喜撰《じようきせん》、たった四杯《はい》で夜も眠れず」

これは一八五三年の黒船来航を詠んだ当時の狂歌ですが、「上喜撰(当時人気の緑茶)」と「蒸気船」を、「四杯」は「杯」が船を数える単位としても使われていたことから、浦賀に現れた四隻の黒船にかけてあるという、実にうまい歌です。

この黒船来航以降、日本は激動の近代に突入していきます。この時代の変化は非常にドラマチックなものなので、小説や映画、ドラマなど数多くの作品の題材に取り上げられていますが、今一つわかりにくいと言われるのは、当初は、外圧に押され開国を進めていく幕府に対し、「尊皇攘夷」を唱え、外国人を追い払おうとしていた志士たちが、いつの間にか「倒幕開国」に転身していることでしょう。

でも、よくよく彼ら志士たちの行動を見ていくと、実はそれほど難しい話ではありません。要は、最初は異国を侮《あなど》り、自分たちの武力で打ち払えると思っていたのですが、実際に戦ってみると、外国は自分たちを遙かに凌駕《りょうが》する武力を持っており、到底打ち払うことなどできないことを知った、ということなのです。

そして、今のままでは外国勢力に対抗できないので、外国の技術を学び、取り入れ、同等の力を有したうえで対抗しようという思惑から「開国派」に転じたわけです。つまり、攘夷を諦《あきら》めて開国に転じたのではなく、攘夷を可能にするために、言い方を変えれば、中国や他のアジア諸国のように列強の植民地にされないだけの力を日本が持つために「開国」が必要だと考えた、ということです。

映画の中には政治的なことはほとんど登場しませんが、舞台となった文久二年は、春に老中・安藤信正が解任され、徳川慶喜《よしのぶ》が将軍後見職となり、夏には生麦事件が起き、天皇のお膝元である京都の治安を守るために、会津藩主・松平容保《かたもり》が京都守護職として赴任するという、非常に大きな変わり目となった年でもあります。

特に、高杉晋作の長州藩にとっては、大きな分岐点となった年と言えるでしょう。

高杉が英国公使館を焼き討ちするのは、年の瀬の十二月。彼が長崎から中国の上海へ行ったのはその年の五月のことでした。

なぜ上海だったのかというと、当時幕府が上海に貿易の拠点を持ちたいと思っていたからでした。とはいえ、当時の幕府は中国（清）と国交がなかったので、国交のあるオランダの上海領事館を通じて中国と貿易をしようと考えていたのでした。高杉はそのための視察団に加わる形で上海に派遣されたのです。そのため高杉は、この視察団に長州藩士としてではなく、幕臣の従者という名目で加わっています。

このときの上海には、中国がアヘン戦争に破れたことでイギリスの「租界」と呼ばれる居留地が設けられ、事実上の英国支配を受けていました。そうした中国の実情を、わずか二カ月間でしたが目の当たりにした高杉は、欧米列強に対する脅威を痛感し、攘夷の決意を深めていきました。事実、上海で記した高杉の日記には、「泰平の夢を貪っていては日本も上海の二の舞になる」という強い危機感があらわれています。

こうした高杉の焦りが行動として結実したのが、映画に登場する英国公使館焼き討ち事件だったのです。そしてそれ以降、長州藩ではより一層の攘夷行動が目指され、翌年五月の馬関戦争（下関戦争）へと繋がっていくわけです。

時代に翻弄されながらも強かに生きる庶民のバイタリティー

しかし、幕府や薩長がそうした難しい国の行く末を考えていたとしても、庶民にはあまり関係ありませんでした。彼らは日々の生活だけで手一杯だからです。

「北の吉原、南の品川」と並び称されるほど繁盛した品川の花街で、大きな遊郭を営む相模屋の主人でさえ、高杉たちの志など全く意に介さず、「あの連中ときたら、尊皇の攘夷のと騒ぎ回って金遣いが荒いくせに、お勘定はさっぱり」と苦々しい顔でツケをどのように回収するか、ということにしか関心がありません。

事実、当時は、「尊皇攘夷」を振りかざして、商人から金子《きんす》を巻き上げるたちの悪い「不良」武士も少なくなかったので、うかうかしていると勘定を踏み倒されて泣くのは商人たちでした。激動の世の中で、庶民が自分たちの生活を守るためには、多かれ少なかれ、左平次のような強《したた》かさが必要だったのです。

そうした時代に翻弄されながらも強かに生きる庶民のバイタリティーが、左平次だけでなく登場人物それぞれにふんだんに盛り込まれているのが、この映画のすばらしさでもあります。中でもおそめとこはるの取っ組み合いの大喧嘩は、見所の一つと言えるでしょう。

客のえり好みが激しいことで、人気を客あしらいのうまいこはるに奪われたおそめは、呉服屋が持ってきた反物を買う、買わないという些細なことから、大喧嘩をしてしまうのですが、これがお互いの確執や執念を滲ませるものすごい迫力の喧嘩シーンとなっているのです。

喧嘩自体は仲裁が入ってドローに終わりますが、その後、お金の工面に窮したおそめは、看板女郎のプライドを護るために、心中を計画します。お金に窮したから自害したと言われたのではあまりにも情けない。でも心中なら、それもまた遊女の花道、と言うわけです。

しかし、そうなると心中する相手が必要となります。ここで面白いのが、おそめが、死んでも誰も困らない男を算段するところです。そして考えた末に、「アバ金」と呼ばれる貸本屋の金造（小沢昭一）に目をつけます。

おそめに「一緒に死んでおくれ」と言われて、喜んで死に装束まで用意した金造でしたが、いざとなるとどうも度胸が出ません。焦れたおそめが川に金造を落として、さて次は自分も、というところで、やり手婆が馴染みの客が金を持ってきたので死ぬ必要はなくなったよ、と声をかける。するとおそめは、溺れる金造に「あの世行ったらみなさんによろしくね」と手を合わせ、嬉々として廓に戻るという転身の速さを見せるのです。

でも、強かなのは遊女だけではありません。殺されかけた金造も、幽霊に扮しておそめに復讐を企みます。

と、ここまでは落語「品川心中」の筋を踏襲しているのですが、映画ではここからが違います。左平次が間に入り、双方から喜ばれながらもちゃっかり儲けていく映画での「さげ」は実に面白く、また痛快なのです。

歴史物というと、どうしても為政者とその周辺が中心に描かれるものが多くなりがちです。確かにそうした為政者の話を語ることは大切なのですが、現実世界の九九パーセントは庶民の中で動いているのですから、そうしたところに目を向けつつも、現実の厳しさを笑いの中に落としこむことで、庶民の生きる力を上手く描くことに成功したこの映画は、やはり日本映画の傑作だと思います。

左平次に託した川島雄三の思い

主人公左平次が、非常に魅力的なのは、彼が単なる口八丁手八丁のお調子者、というだけのキャラクターではないからです。

映画の途中、左平次は、時々暗い表情を見せます。そして、繰り返す咳《せき》で観客は、彼が何か悪い病にかかっていることを感じ取ります。そして映画の終盤、おそめとこはるに言い寄られ、困った左平次が自分は「労咳《ろうがい》なんだ」と告白することで、観客は自分が感じていた悪い予感の正体を知らされます。

労咳というのは、肺結核のことで、当時は死病と恐れられた病です。しかもこの病が怖いのは、同じく幕末に流行した「コロリ（コレラ）」と違い、肉体がじわじわとおかされ、まるで真綿で首を絞められるように時間をかけて死に至ることです。罹《かか》るとあっという間に死んでしまうコロリは大変恐ろしいものですが、自分の死を目の前に突きつけられた状態で、少しずつ病が進行していく恐怖は、別の意味で計り知れないものがあります。

そんな左平次の苦しさと恐怖を誰よりも理解していたのは、川島監督だったと言えます。

川島監督は、若くして「筋萎縮性側索硬化症（略称ＡＬＳ）」という、手足や喉の筋肉が少しずつ失われていく病気を発症していたのです。この病気は今でも治す薬がない難病です。一度発症すると症状が回復することはなく、この映画の撮影当時、すでに川島監督には歩行障害の症状が出ていました。恐らく川島監督は、左平次に自らの苦しみと同時に、それでも「精一杯今日を生きるんだ」という自らの思いを仮託したのでしょう。

この映画には、幻のラストシーンという逸話があります。

物語の最後、左平次は、しつこい客にこはるは死んだと嘘をついたことで、客をこはるの墓に案内しなければならなくなります。もちろん本当に死んだわけではないので墓などありません。そこで適当な墓を示しますが、客が刻まれた戒名を読んでこれは子供の墓じゃないかと嘘がバレてしまいます。客のしつこさに辟易《へきえき》した左平次は、「どこでもお前さんの良さそうなのを見立ててくれ」と逃げ出す、という落語の「お見立て」をモチーフとしたシーンです。

この後、映画は、「嘘ばかりついていると地獄さ落ちるぞ」と言う客を尻目に、「おれはまだまだ生きるんでぇ」と啖呵《たんか》を切って海沿いの道を走っていく、というところで幕が下ります。

ところが川島監督は、この走っていく左平次が、撮影所のスタジオの扉を開けて外に飛び出し、タイトルバックにも登場した現代の品川の街をちょんまげ姿のまま走り抜けていくというシーンを考えていたのです。しかしこの案は、当時としてはあまりにも斬新すぎて周囲の反対を受けて、結局幻のまま終わることになってしまいました。

今となっては川島監督の本意はわかりませんが、もしかしたらこの幻のシーンには、映画という作品を通して「時代を超えてオレは生きるんだ」という、自分の遠からぬ死と向き合いながら映画に取り組んでいた川島監督の思いが込められていたのではないか、私にはそんな気がしてならないのです。

川島監督は、この後も映画を撮り続け、一九六三年に四十五歳で世を去ります。

生涯で残した映画は五一本。短くも悔いのない人生だったと言いたいところですが、彼には、あと一本、どうしても撮りたいと、最期まで企画を練っていた作品がありました。それは謎の絵師、写楽の映画です。

『幕末太陽傳』でフランキー堺の演技に惚れ込んだ川島監督は、彼を主役に写楽の映画を作ることをフランキー堺と約束していたと言います。川島監督の死によって、この約束は果たされることなく終わりますが、川島監督との約束だからと、写楽の研究を続けたフランキー堺は、一九九五年、ついに自ら企画総指揮し、映画『写楽』を完成させます。

年齢的に写楽を演じることが叶わなかったフランキー堺は、版元の蔦屋重三郎《つたやじゅうざぶろう》役で出演しています。人は死んでも思いは受け継がれていく。

「手前一人の才覚で世渡りするからにゃア、へへ、首が飛んでも、動いてみせまさア！」

左平次が高杉晋作に言ったこの言葉は、形を変えて実現したのかも知れません。

15/21

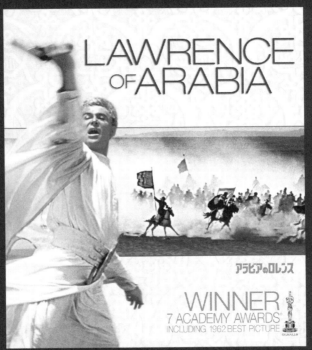

Lawrence of Arabia

『アラビアのロレンス』
デジタル配信中
Blu-ray ＆ DVD 発売中
発売・販売元：ソニー・ピクチャーズ エンタテインメント

アラビアのロレンス

砂漠を堪能できる名作

『アラビアのロレンス』は一九六二年に公開（日本公開は一九六三年）された映画で、第一次世界大戦中のオスマン帝国において、アラブ民族と共に、その独立を目指して戦った実在のイギリス人将校、トマス・エドワード・ロレンスの半生を描いています。

ストーリーは、主人公であるロレンス自身が当時のことを綴った『知恵の七柱』（原題『Seven Pillars of Wisdom』）を原作にしていますが、そこは映画なので、創作されたエピソードや、より劇的に見せる演出が施されている箇所もあります。しかし、基本となる出来事は、歴史的事実に忠実に則しています。

そのため、私ぐらいの年代だと、第一次世界大戦におけるアラブ戦線の知識は、この映画から得たという人が少なくありません。かく言う私も、この映画を最初に見たのは中学生のときだったので、第一次世界大戦当時の複雑な世界情勢に関する知識などほとんどなく、この映画で当時の中東情勢の基礎知識を得ました。

今なお紛争の絶えない中東地域の諸問題の、原点とも言える出来事が、この映画には盛り込まれているのです。

ロレンスは、「砂漠の英雄」や「アラブの英雄」という異名と共に、西洋社会では非常に知名度の高い人物です。また、第一次世界大戦は、カメラやムービーによって記録された最初の戦争となったこともあり、実在のロレンスの姿を記録した映像も多数残されているためイメージが定着しています。

そんな演じるには難しいロレンス役を演じたのは、ピーター・オトゥールという、舞台俳優です。彼は、一九六〇年にディズニー映画『海賊船』で映画デビューを果たしていたそうですが、映画界での知名度はほとんどありませんでした。

そんな彼の才能に最初に気づいたのは、デビッド・リーンの『旅情』（一九五五）という作品の撮影のために、ロンドンに来ていた女優キャサリン・ヘップバーンだったそうです。彼女がロンドンで見た舞台に、たまたま代役出演していたのがオトゥールだったのです。

その頃ロレンス役は、同じくイギリスの舞台俳優として活躍していたアルバート・フィニーが有力候補として、カメラテストが進められていました。しかし、最終的にはフィニーのほうから出演を断わったことで、オトゥールにオファーが舞いこむことになったというわけです。ちなみにこのフィニーは、後に『オリエント急行殺人事件』（一九七四）でエルキュール・ポワロを演じ、一躍有名になった俳優です。

透きとおった青い瞳がとても印象的なピーター・オトゥールは、線が細く、彼が演じるロレンスは、ちょっとなよっとした感じで、あまり軍人らしくありません。とても、アラブ人たちから「ダイナマイト隊長」とあだ名されたゲリラ戦の英雄、というイメージではないのですが、実は、実在のロレンスの写真を見ると、これが驚くほどよく似ているのです。この本物に非常によく似たオトゥールの容姿が、ロレンス役起用の大きな決め手の一つとなったことは間違いないでしょう。オトゥールと実在のロレンスで大きく違うのは、実在のロレンスが一六五センチメートルほどの短軀だったのに対し、オトゥールが一八八センチの長身だったことぐらいです。

とはいえ、容姿だけでこの役に起用されたのでないことは、映画を見ていただければすぐにわかります。オトゥールは、受賞こそ逃しましたが、この映画でアカデミー賞の主演男優賞にノミネートされています。ちなみにこの映画自体は、アカデミー賞で、作品賞、監督賞、撮影賞など七冠を達成しています。

監督は『戦場にかける橋』(一九五七)でアカデミー賞を受賞し、次回作を期待されていたイギリス人映画監督のデビッド・リーン。彼が『アラビアのロレンス』の次に手がけた作品が、やはり名作として知られる『ドクトル・ジバゴ』(一九六五)です。この二つの作品の間に製作された本作は、まさにリーンの絶頂期の作品だと言っていいでしょう。

それだけに次世代への影響は大きく、スティーヴン・スピルバーグが、映画監督になることを決心したのは、高校生のときに『アラビアのロレンス』を見たことだと語っているのは有名な話です。

『アラビアのロレンス』は、歴史映画としても非常によくできた作品ですが、何よりも素晴らしいのは、果てしなく続く雄大な砂漠のさまざまな風景を、実に表情豊かに撮影しきっているところでしょう。

砂漠の広大さを捉えるためこの映画では、当時としてはまだ珍しかった七〇ミリメートルの大型フィルムを撮影に用い、上映にはシネマスコープというワイドスクリーンが使われました。

視界いっぱいに広がる巨大なスクリーン一面に映し出される空と砂の大地だけの光景は、まさに砂漠を体験できるものと言っても過言ではありませんでした。

特に映画の序盤に登場する、ロレンスがその後盟友となるハリト族の首長アリと最初に出会うシーンは圧巻です。灼熱の砂漠、見えるものは空と砂の大地だけ。その陽炎《かげろう》の揺らぐ地平線の彼方に、微かに動く小さな点、次第にその点が大きくなっていき、ついにその点が人であることがわかる。この間、約三分、その後の衝撃の展開と共に映画史に残る名シーンの一つです。

他にもこの映画では、朝日に赤く染まる砂丘や、乾ききりひび割れた白い砂漠、黒くごつごつとした溶岩が顔を覗《のぞ》かせる砂漠、そして砂嵐や流砂など、さまざまな砂漠の、美しくも恐ろしい姿を見ることができます。

民族間の対立が鮮明に

『アラビアのロレンス』は、歴史的予備知識を持たない中学生の私でも感動できる映画でしたが、時代背景を知っていると、より深く作品世界を味わえることは間違いありません。

作品の舞台となっている第一次世界大戦が始まったのは、一九一四年七月。そこから一九一八年十一月まで、四年三カ月間にわたる戦争のきっかけとなったのは、一九一四年六月に、当時オーストリア領だったサラエボ（現ボスニア・ヘルツェゴビナ）で起きた、オーストリア＝ハンガリー帝国の皇太子夫妻の暗殺事件でした。

この「サラエボ事件」を受けて、オーストリア＝ハンガリー帝国は、同盟国ドイツの支援のもと、セルビア王国に対し、実行犯の背後にはセルビアの拡大を目論む民族主義団体とセルビア政府がいるとして、最後通牒《つうちょう》を突きつけます。

オーストリア側の要求は、セルビアにおける反オーストリア的プロパガンダの禁止と、民族主義団体の解散、さらにはオーストリアとの間の国境の監視強化に加え、今回の事件に関する調査にオーストリアの代表を参加させることでした。

この最後通牒をセルビアが拒否したことで、両国は交戦に突入します。

サラエボ事件の背景にあったのは、バルカン半島の領有を巡る争いでした。東ヨーロッパの南部に位置するバルカン半島は、古くからローマ帝国、ビザンツ帝国、オスマン帝国と、大国の支配が続いたことで、さまざまな宗教を信じるさまざまな民族の混在する「民族のるつぼ」と化していた地域です。

多民族の混在が、民族間の対立や宗教的対立を引き起こすことは容易に想像がつくでしょう。それでもオスマン帝国の支配が盤石だった間は、それなりに落ち着いていました。しかし、十六世紀に最大領土を誇ったオスマン帝国も、十七世紀に入ると増大する軍事費による財政赤字や度重なる内乱で次第に勢力が弱まっていきました。そして、十八世紀に入ると、ロシアとの戦争（露土戦争）に敗北し黒海北岸とクリミア半島を失ったのを皮切りに、エジプト、ギリシアと領土を削り取られていくことになります。

こうしてオスマン帝国の力が弱まると、民族対立も目に見える形で現れてくるのでした。オスマン帝国の復権を目指すトルコ系民族、ドイツの支援のもとパン＝ゲルマン主義を掲げるゲルマン系民族、ロシアを後ろ盾とするパン＝スラヴ主義を掲げるスラヴ系民族などさまざまな民族が、それぞれの利害のもと対立を深めていったのです。

当時、ロシアとドイツの間に、民族主義に基づく対立や領土問題が生じながらも、なんとか戦争を回避できていたのは、ドイツ統一を指導した名宰相ビスマルクの巧みな外交手腕によるものでした。しかし、一八八八年にヴィルヘルム二世（在位一八八八～一九一八）がドイツ皇帝の座に就くと、この均衡が崩れます。

ヴィルヘルム二世は、一八九〇年にビスマルクを辞職させ、自ら親政を行うとともに、パン＝ゲルマン主義を掲げ、さらなる植民地の獲得に乗り出していきました。

そうした中、一九〇八年にオスマン帝国内で、「青年トルコ革命」と言われる政変が起こります。この政変は、古いスルタン政治を打破し、かつて行われていた立憲政治を再開させることで帝国の崩壊を食い止めようと考えた「青年トルコ」と呼ばれる、西洋思想を学んだオスマントルコのエリートによる革命でした。

この革命により、立憲政治が再スタートしたものの、青年トルコ政権がトルコ人中心の政策をとったことで、アラブ人たちの中に不満が鬱積し、民族の独立を考えるアラブ民族主義が高まっていくことになったのです。

一方、革命の混乱に乗じ、ドイツとともにパン＝ゲルマン主義を唱えるオーストリア＝ハンガリー帝国は、オスマン帝国領だったボスニアとヘルツェゴビナの二州を一方的に併合してしまいます。この二州には多くのセルビア人（スラヴ系）が居住していたことから、パン＝スラヴ主義を掲げるロシア・セルビアの強い反発を招くことになります。

サラエボ事件は、こうした一連の出来事によって、反オーストリア感情を強めたセルビア人青年が起こした事件でした。

オーストリアがセルビアに宣戦布告すると、周辺諸国が次々と参戦し、ドイツ、オーストリア＝ハンガリー帝国、オスマン帝国、ブルガリアといった「同盟国」と、セルビア側についたイギリス、フランス、ロシアを中心とする「協商国」に二分され、世界規模の戦いに発展していったのでした。

当初、協商国側は、戦争は数カ月で終わるだろうと高をくくっていました。しかし、ドイツと国境を接するベルギー南部とフランス北部の「西部戦線」では、長きにわたる悲惨な塹壕《ざんごう》戦が繰り広げられることになります。

この膠着《こうちゃく》状態を打開するため、イギリスが考えついたのが、ドイツの同盟国として参戦しているオスマン帝国を、独立を目指しているアラブ人に反乱を起こさせることで、内部から崩壊させるという作戦でした。

そこでイギリスは、預言者ムハンマドの血統を受け継ぐハーシム家の首長で、オスマン帝国から聖地メッカのシャリフ（太守）に任命されていたフサイン・イブン・アリに、大戦終了後にアラブの独立を約束するという条件で、反乱を起こすよう持ちかけたのです。フサインはこの条件をのみ、イギリスと協定を結びます。この協定は、アラブの代表と、イギリスの高等弁務官の名を取って「フサイン・マクマホン協定」と呼ばれます。

そして一九一六年、フサインは「アラブの反乱」を開始します。このフサインの息子で、実際にアラブ軍を率いたファイサル・イブン・フサインと共に、反乱を指導したのが、『アラビアのロレンス』の主人公、トマス・エドワード・ロレンスでした。

イギリスの強さの秘密は情報の収集・整理にある

ロレンスは、イギリス軍の情報将校としてアラブに派遣されるわけですが、とにかく情報を収集するのが非常にうまく、そこで活躍し、大きな成果をあげ少尉から中尉、最終的には中佐へと出世していきます。

ロレンスが実際にアラブ民族と行動を共にしたのは、わずか二年間です。なぜロレンスは、短期間にこれほどの成果をあげられたのでしょう。そのことを語るには、なぜ情報局が彼に目をつけたのかを知る必要があります。

映画の中で、アラブへの派遣が決まったとき、ロレンスは自分ほどの適任者はいないと言って、喜んで砂漠へ旅立ちます。

彼のこの自信は、彼の前半生に裏打ちされたものでした。

一九〇七年にオックスフォード大学に進んだロレンスは、もともと興味を持っていた中世の城を見て回るためフランスを旅しています。彼は非常に優秀な学生でしたが、校内で正規の学科にいそしむタイプではなく、フィールドワークで学ぶタイプでした。その後、彼は興味の赴《おもむ》くまま、一六〇〇キロメートルもの道のりを徒歩で移動しながら十字軍時代の遺構を見て歩くことに、学生時代の大半を費やしています。

オックスフォード大学では、彼のような出席日数の足りない学生に対する救済策として、特別な研究結果を提出することで正規コースの代わりとすることが認められていました。彼はこの制度を利用して、「ヨーロッパ中世築城術に与えた十字軍の影響」というテーマの卒業論文をまとめることにしました。

ところが、この卒業論文をまとめるには、どうしてもあと一カ所、自分の目で確かめなければならない城郭があることに気づきます。そこで彼は、学生時代最後の夏休み（一九〇九）を利用して、目的地を訪ねました。その場所こそ、彼にとっての運命の地とも言うべきアラビアだったのです。

まずベイルートに入ったロレンスは、ヨルダンからシリアを回り、さらにユーフラテス川を越えメソポタミアとヒッタイトの遺構を見て回ったと言います。

驚くべきことは、七月末から九月末という真夏に行ったこの旅程のほとんどを、彼が自らの足で歩いて回ったことです。この旅は、途中現地の暴漢に襲われたり、何度もマラリアに罹患するなど、決して安全なものではありませんでした。しかしこの旅を通して、彼はアラビアの人々に親しみ、旅の初めにはごく初歩的な会話しかできなかったアラビア語も、旅を終える頃にはすっかりマスターしていたそうです。

こうして書き上げた彼の論文は、最優秀の評価を獲得し、卒業後の一九一一年には、恩師の推薦を受け、大英博物館の考古学発掘隊の一員として、ユーフラテス河岸のカルケミッシュという古代メソポタミアの中でも非常に古い時代の遺跡の発掘調査に加わるため、再びアラビアへ赴いています。

それから一九一四年の春まで、彼は中東で過ごしています。その間、同僚たちの多くが休みになるとイギリスへ帰国していたのに対し、ロレンスは一人アラビアに残り、中東各地を旅して回っていました。映画の中で、ロレンスがファイサルにダマスカスの話をし、「訪れたことがあるのか?」と尋ねられ、「ある」と答えるシーンがありますが、彼がダマスカスやアカバについて詳しく知っていたのは、この時期に訪れていたからでした。

そんなロレンスが、イギリス軍に召集されたのは一九一四年十月。最初の配属は陸軍省作戦部第四課地図班でした。ここで彼は、シナイ地方の二五万分の一の地形図と現地へ行く部隊のための案内書の作成をすることになります。映画の冒頭で、彼が地図を描いていたのはそのためです。

この後ロレンスは、情報局からの要望を受けてアラブの反乱を支援することになるわけですが、私がここで凄いと思うのは、ロレンス自身の才能もさることながら、彼の経歴や才能を調べ抜いて、ファイサルのもとへ送りこむ最適の人材と判断した、イギリス軍情報局の慧眼《けいがん》とも言うべき人選です。

アラブ世界の情報を集めようとしたとき、どのような人物を送りこむのがいいのか、当然のことながら、さまざまな情報をもとに人選が行われたはずです。最終的にロレンスが選ばれたのは、もちろんアラビア語ができるとか、現地の地理や文化に詳しいということもあったと思いますが、情報局が最も重視したのは、彼が自らの足で情報を集めるフィールドワークを得意とする人物だという点だったのではないか、と思うのです。

これは現在のメディアの報道を見ていても感じることですが、例えばイラクにしてもウクライナにしても、イギリスは必ず現地に人を派遣して情報収集を行っています。

情報に求められる鮮度と精度、どちらの面でも現地に実際に足を運んで調べてくるのが最も確実だということを、イギリス人はよくわかっているからです。

それに対し日本では、危険を理由に現地に人を派遣することを、むしろ避けようとする傾向が見られます。そして、タス通信やロイター、AFPといった他者が集めた情報を利用するのです。

そしてもう一つ、情報に関して、日本がイギリスに太刀打ちできていない、と痛感させられていることがあります。それは、情報の整理です。

私は、ここ数年こそパンデミックの影響で国内に留まっていますが、それまでは年に一度は必ずイギリス・ロンドン大学の古典学研究所の図書館を訪れ、研究成果の整理を行うことを習慣としていました。わざわざイギリスまで行く必要があるのか、と思われるかも知れませんが、私にとってロンドンでの研究時間は非常に有効です。

情報において最も重要なのは、実は集めた情報を「整理し、使いやすくする」ことなのです。集めただけでは情報の価値はまだ半分、整理して初めて活用できるようになるからです。この情報整理のレベルが、日本の図書館とイギリスの図書館では桁違いなのです。

これはあくまで私の考えですが、情報収集・整理の分野で世界で最も卓越しているのは、イギリス人なのではないでしょうか。

少なくとも、そう思わせるほどにイギリスの図書館は情報が使いやすく整理されています。もちろんそのためには、多くの資金が投入されています。日本ももっと図書館に投資しないと、差がどんどん開いていってしまうのではないかと危機感を抱くほどです。
そして、この分野の能力にこそ、イギリスが今も国際政治の場で存在感を持ち続けられている秘密があるのではないかと思うのです。

ロレンスの苦悩

『アラビアのロレンス』は、公開当初のオリジナル版で二〇七分、現在DVDやブルーレイに収められている完全版で二二七分という長編映画です。途中に四分間のインターバルが入り、二部構成の形になっています。

ロレンスは、幾多の困難を乗り越えてきたわけですが、その心に迷いはありません。当初ロレンスは、イギリス人にとっては、アラブの情報を引き出す人材であり、アラブ人にとっては、イギリスから物資や金銭的援助を引き出すための人材でした。つまり、お互いにメリットを感じられる人材であり、双方が彼をうまく利用しているという意識があったからでした。

映画の序盤に、アラブに利する意見を言うロレンスに、ファイサルが「君はイギリス人だ、忠誠心がないのか？」と尋ねるシーンがあります。

そのときロレンスは「祖国にも他にも忠実です」と答えるのですが、これが彼の正直な思いであったことが、ロレンスの強みでもありました。この時点では、祖国への忠誠と、アラブへの忠誠が矛盾してなかったということです。

そうした中でアカバ陥落を成し遂げるわけですが、ここから少しずつ、双方の思いに食い違いが生まれ、そのことがロレンスを苦しめていくことになります。

最大の原因は、後に「三枚舌外交」と称される、イギリスの外交政策でした。

前述のとおり、一九一五年にイギリスは、アラブとオスマン帝国に対し反乱を起こせば、戦後にアラブの独立国家樹立を認めるという「フサイン・マクマホン協定」を結びます。独立を目指していたアラブは、この協定を信じて反乱を起こしたわけですが、その一方でイギリスは、一九一六年に戦後のオスマン帝国領を英仏露の三国で分割するという「サイクス・ピコ協定」を秘密裏に結びます。この二つだけでもすでに矛盾を内包しているにもかかわらず、翌一九一七年にイギリスは、ユダヤ資本から戦費を引き出すために、戦後のパレスチナにユダヤ人居住地を建設するという「バルフォア宣言」を出してしまうのです。

イギリスがこうした不誠実な外交政策をとったことで、ロレンスは「祖国にも他にも忠実」ではいられなくなってしまいました。

では、ロレンスは、「サイクス・ピコ条約」を知っていたのでしょうか。

映画の中では、気づいていたからこそ、自らがアラブ人とした約束を守り、アラブ国家の独立を実現させるためにイギリス軍より早い、ダマスカス入城を目指す、というストーリー展開になっています。

なぜなら、ダマスカスを中心とするシリアの大半の領有権は、「フサイン・マクマホン協定」ではアラブに、「サイクス・ピコ条約」ではフランスに約束されていたからです。アラブ民族が独立を宣言するためには、イギリス軍よりも早くダマスカスに入城し、既成事実を作る必要があったのです。もちろんイギリス軍もそのことはわかっているので、表面的には友軍でありながら、熾烈な競争が繰り広げられます。

結果は、わずか数日の差で、ロレンス率いるアラブ軍が先にダマスカス入城を果たし、アラブは独立を宣言します。

これが物語なら、これでハッピーエンドとなるのかも知れませんが、残念ながら現実は違いました。

ダマスカス入城を果たしたファイサルらは、国民議会を開きますが、もともと確執を抱えていた部族長たちは協力し合えず、議会は互いをののしり合う場と化し、その結果、街のインフラは滞り、病院も機能を失ってしまいます。

アラブ政府の事実上の崩壊でした。そして、それは同時に、ロレンスの思いが部族間対立によって裏切られた瞬間でもありました。

映画は、ここでアラブを去るロレンスの姿を映して終わります。

その後のロレンス

現実のロレンスは、その後どうなったのでしょうか。

『アラビアのロレンス』で知ることができるのは、冒頭に描かれた彼の最期だけです。ロレンスは、戦後の彼の人生に大きく影響することになる人物とアラブで出会っていました。それは、映画の中でジャクソン・ベントリーという名で登場するアメリカ人新聞記者です。彼の実名はローウェル・トーマスといいます。

一九一七年の早春、ローウェルはアメリカ政府の依頼を受けて、従軍記者として、フォックス社のカメラマンとともに第一次世界大戦の現場の取材を始めています。この時期のアメリカは、まだ参戦していませんでしたが、政府は近くこの戦争に参戦しなければならなくなることを見越しており、国内の反ドイツ世論を高めておく必要を感じていたのでした。そのためには、ドイツの非道とともに、アメリカ国民が戦争にロマンを感じるような記事を求めていたのです。

ローウェルが最初に足を踏み入れた戦場は、西部戦線でした。しかし、彼がそこで目にしたのは悲惨と汚辱に満ちた戦争の現実だけで、とても参戦ムードを高めるのに役立つようなものではありませんでした。

失望したローウェルが、次に向かったのがアラブ戦線でした。ローウェルがカイロを経てパレスチナに入ったのは、エルサレム陥落後間もない一九一七年十二月、ここでアラブの人々の中に、真っ白なアラブ服に身を包んだ碧眼《へきがん》・金髪のイギリス人を見たのです。

彼はこのときの第一印象を「まるで中世十字軍戦争当時の戦士がそのまま抜け出てきたのかとさえ思えた」と、その手記に記しています。

当時はイギリス軍の中でさえロレンスを知る者は少なかったそうで、ローウェルは彼こそ求めていた取材対象だと喜び、その後はダマスカス入城までロレンスの密着取材を続けたのでした。

戦後アメリカに帰国したローウェルは、このときの映像に自らナレーションをつけたドキュメンタリー映画『アラビアのロレンスとともに』(原題『With Lawrence in Arabia』)の上映・講演を行います。ニューヨークで始めたこの講演は大当たりし、国内を巡業した後、一九一九年にはロンドンに進出しています。

この映画興行は、それまで一般では無名だったロレンスを、一躍アラビア戦線のヒーローにしました。しかし、それはロレンスにとっては必ずしも喜ばしいことではありませんでした。

なぜなら、ちょうどその時期のロレンスは、パリ講和会議にファイサルの調査団の一員として出席し、ファイサルのヒジャーズ王国の範囲を、アカバから聖地メッカとする英仏に対し、ダマスカスを首都としシリア全域を認めさせようと尽力したものの、結局叶わず、大きな失望を感じているときだったからです。

かれが自らの経験を『知恵の七柱』という著作にまとめ始めたのも、ちょうどこの頃のことです。それについてロレンス自身は、「回顧録をのこすことが歴史に対する義務である」と、その思いを記しています。

その後、混乱したダマスカスにはフランス軍による空爆が行われ、破壊された街にはフランス軍が進駐しています。最終的にファイサル・イブ・フサインは、一九二一年に建国されるイラク最初の国王に就きますが、あくまでもこれはイギリス主導のもとでの建国であり、ロレンスやファイサルが目指した独立国家ではありませんでした。

その後ロレンスは、自らが「アラビアのロレンス」であることを隠すかのように、ジョン・ヒューム・ロスという偽名を用いて、空軍に二等兵として入隊しています。しかし、半年ほどで正体がバレて除隊。その後は、本名をトマス・エドワード・ショーと改名し、陸軍に入隊、その後、空軍への復帰を願い出て、一九二五年から、一九三五年に除隊するまで空軍に席を置いています。映画の冒頭で描かれた事故は、空軍除隊のわずか二カ月後のことでした。

映画『アラビアのロレンス』が彼の著作『知恵の七柱』をもとに製作されたのは、彼の死の約三十年後です。『知恵の七柱』を原作としていることからもわかるように、この映画はロレンスの視点からアラブ戦線を描いたものと言っていいでしょう。

そういう意味では、戦後すぐにローウェルによって作り上げられたアラブのヒーローとしてのロレンス像は、この映画のヒットによって、少しだけ本人が思うロレンス自身に近づいたのかも知れません。

とはいえ、『知恵の七柱』も全てが真実だとは限りません。

確かなのは、かつてオスマン帝国だった場所に今は、トルコ、シリア、レバノン、イラク、ヨルダン、イスラエル、サウジアラビアと多くの国が生まれたものの、イギリスの三枚舌外交によって撒かれた火種は、その後も消えることなく未だにくすぶり続け、民族の対立と争いを生み出しているということと、この映画に納められたアラビア砂漠の美しさだけです。

16 / 21

Doctor Zhivago

『ドクトル・ジバゴ』

ドクトル・ジバゴ

ロシア革命に引き裂かれる悲恋物語

『ドクトル・ジバゴ』は、一九六五年公開（日本公開は一九六六年）のアメリカ、イタリア合作映画です。監督は『アラビアのロレンス』のデビッド・リーン。原作はロシアの詩人ボリス・パステルナークの半自伝的小説『ドクトル・ジバゴ』です。

物語は、第二次世界大戦後のソヴィエトで、イエブグラフ・ジバゴ将軍が、腹違いの弟ユーリ・ジバゴの行方不明になった娘トーニャを探すシーンから始まります。

モンゴルとの国境付近で保護された戦災孤児のトーニャが呼ばれ、イエブグラフは彼女に両親に関する記憶を問いただします。しかし、トーニャはほとんど何も覚えていません。そこでイエブグラフは、トーニャに父ユーリと、母ラーラの写真を見せ、二人の人生を語って聞かせるのでした。

十九世紀末の帝政ロシア。ユーリは八歳で母を亡くします。すでに父は亡く、孤児になったユーリは、親戚であるグロムイコ夫妻に引き取られます。夫妻は、一人娘トーニャと分け隔てなくユーリにも愛情を注ぎ、成長し医者となったユーリは、同時に詩人としてもその才能を開花させていました。

モスクワの街で、貧しい人々による社会主義革命を求めるデモが頻発していたある年のクリスマスイブ、ユーリとトーニャの婚約が発表されたパーティーで、コマロフスキーという弁護士が、若く美しい女性に撃たれるという事件が発生します。その女性は、以前ユーリが助けた服毒自殺を計った女性の娘ララでした。

当時十七歳のラーラは、革命家の恋人パーシャがいながら、母の愛人である弁護士コマロフスキーの強引な誘いに負け、不適切な関係を持ってしまっていたのです。彼女の気持ちを知ったユーリは、ラーラを恋人のパーシャと共に逃がしてやります。

それから数年後の一九一四年、ロシアは第一次世界大戦に参戦し、ユーリは軍医として、ラーラは看護師として戦場で再会します。すでに共に家庭を持っていた二人は、惹かれ合いながらも一線を越えることはなく、革命によってロシアがドイツと停戦したのを機に、それぞれの家族のもとへ戻っていきました。

しかし、運命は再び彼らを引き合わせます。大戦中に起きたロシア革命によって、一変したモスクワを離れ、ヴェルキノの別荘に疎開することを決めたユーリは、その旅の途中、ストレルニコフと名を変え共産党の将軍となっていたパーシャと再会し、ラーラがヴェルキノからほど近いユリアティンという街にいることを知ります。ユリアティンで再会した二人は、もはやお互いへの思いを止めることができず、トーニャに隠れて逢瀬を重ねるようになってしまうのでした。

しかし、内戦が激化する中、二人は再び引き離されてしまうのでした……。

この映画は、ロシア革命という激動の時代の中で、お互いの愛を貫こうとしながらも引き裂かれていく男女の愛を描いたラブロマンスです。しかし、この映画の最大の見所はラブシーンではなく、美しい雪景色に代表される圧倒的な自然美です。

監督のデビッド・リーンは、前作『アラビアのロレンス』で広大な砂漠の厳しくも美しい風景を映像に納めることに成功しましたが、『ドクトル・ジバゴ』では、砂漠とは対極とも言える雪景色の美しさを納めることに成功したのです。

デビッド・リーンを支えた『アラビアのロレンス』のスタッフ

一九五七年にイタリアで出版され、瞬く間に西側諸国でベストセラーとなった小説『ドクトル・ジバゴ』の映画製作権を勝ち取ったのは、イタリアの映画プロデューサー、カルロ・ポンティでした。彼は当初、妻であるソフィア・ローレンをラーラ役に映画を製作するつもりでしたが、作品スケールの大きさから、イタリアでの製作を断念し、アメリカのＭＧＭに製作を打診します。ＭＧＭはこれだけ壮大な作品を撮れるのは、デビッド・リーンしかいないとし、リーンを監督にすることを条件に製作を引き受けます。

当時のリーンは『戦場にかける橋』（一九五七）、『アラビアのロレンス』（一九六二）と、大作映画をたて続けにヒットさせ、世界的名声を得ると共に、次回作を期待されていました。しかし、そんなリーンにとっても、『ドクトル・ジバゴ』の映画化は難題でした。何しろ原作は七〇〇ページに及ぶ長編小説であるうえ、作者のパステルナークが一九五八年のノーベル文学賞を辞退したことで世界的な注目を集めていたからです。

中でも最大の懸念は、『ドクトル・ジバゴ』が反共的な作品としてソ連国内では発禁図書となっていることでした。当時は東西冷戦の最中、しかもアメリカとソ連が核戦争の一歩手前まで行った一九六二年のキューバ危機の緊張がまだ解けきれていない時期です。作品のストーリー上、ロシア革命と、それに続くロシア内戦を描かないわけにはいきませんが、どの程度その部分に重きをおくのか、また革命をどのように描くのかで、作品のテイストは大きく変わっていきます。

悩んだリーンが最初に行ったのは、『アラビアのロレンス』でタッグを組んだ脚本家のロバート・ボルトとともに、原作をユーリとラーラのラブストーリーを柱とする脚本に再構成することでした。

ユーリとラーラのラブストーリーは少々複雑です。なぜなら、お互いへの愛情は純粋なものなのですが、二人の関係は必ずしも清廉なものではないからです。ユーリにはトーニャという妻がおり、しかも、ユーリがラーラと一線を越えたときトーニャは二人目の子供を妊娠中でした。一方のラーラも、パーシャが革命の戦士ストレルニコフとなったことで関係が断たれていたとはいえ夫を持つ身です。それに、ラーラが若き日に母親の愛人コマロフスキーと犯した過ちも、ユーリは知っているのです。

こうした複雑な関係の中で揺れ動く詩人ユーリの感情の動きを、リーンは台詞と演技だけでなく、美しい自然の風景に託しました。カメラマンの一人ニコラス・ローグは、リーンから、殺戮《さつりく》シーンのような醜い映像はまばゆいばかりに美しく、ラブシーンは冷たく恐ろしげに撮るように、という難しい注文を受けたことを語っています。

完璧主義者のリーンは、自分の思い描くイメージを実現するために、前作『アラビアのロレンス』のスタッフを招集しました。脚本家のボルトの他にもカメラマンのフレディ・ヤングや衣装のフィリス・ダルトン、映画以上に大ヒットしたメインスコア「ラーラのテーマ」を作曲したモーリス・ジャールもその一人です。

さらに俳優陣も、主人公ユーリ役には、『アラビアのロレンス』でハリト族の首長アリを演じたオマー・シャリフが、ユーリの異母兄イエブグラフには、ファイサル王子を演じたアレックス・ギネスがキャスティングされています。

原作者パステルナークとノーベル賞

原作『ドクトル・ジバゴ』は、もともとロシア語で書かれた作品ですが、最初に出版されたのは一九五七年、イタリアの出版社フェルトリネッリ書店が出したイタリア語版でした。なぜ、本国ソ連に先駆けてイタリアで出版されることになったのかというと、本国の出版社に反共的作品であるとして、出版が差し止められたからでした。

当時のソ連は、レーニンの後を継いだスターリンのもと、芸術の世界においても社会主義の理想が当てはめられ、社会主義にそぐわない表現や、現実社会の役に立たない表現は「反共的作品」として厳しい糾弾が浴びせかけられていたのです。

そうした中でパステルナークの詩は、多くの国民に愛されていましたが、一九三二年、自伝的詩『スペクトルスキー』が反共的と糾弾されたことを機に、彼は当局にマークされるようになります。身の危険を感じたパステルナークは詩作をやめ、外国の作品の翻訳業に専念するようになります。

そんな彼の創作意欲に再び火をつけたのは、一九四六年に出会った、文芸誌『ノヴィ・ミール／新世界』の編集者オリガ・イヴァンスカヤでした。オリガはパステルナークより二十歳以上年下の三十代、離婚歴のあるシングルマザーでしたが、二人は互いに強く惹かれ合い、愛人関係となります。

パステルナークは、二人の関係を妻に知られると、一旦は別れるものの、またすぐによりを戻し、何度も別れてはまたよりを戻すということを繰り返し、最終的には自宅の近くに別邸を設け、オリガと妻のもとを行ったり来たりする生活をするようになります。

そうした中で、書き始めたのが『ドクトル・ジバゴ』でした。この作品が、パステルナークの半自伝的作品とされるのは、作品の時代背景もありますが、オリガと彼の関係が、ラーラとユーリの関係に色濃く反映されているからです。

『ドクトル・ジバゴ』が完成したのは一九五五年十二月。執筆に約十年の歳月が費やされる間に、ソ連の指導者はスターリンからフルシチョフに変わっていました。

一九五三年のスターリンの死によって、ソ連では大粛清の嵐が終わり、強制労働施設に送られていた人々の恩赦が認められ、文学の世界でも「表現の雪解け」と呼ばれる状況が広がっていきます。その時期にパステルナークも、『ドクトル・ジバゴ』のラストに入れるいくつかの詩を、『ユーリ・ジバゴによる詩』と題し先行出版し人気を得ていました。

人気の詩人パステルナークが、小説を出すらしいという噂に人々が大きな期待を膨らませる一方で、ソ連当局は、かつて反共的作品を発表していた彼の新作ということで、その内容に警戒の目を向けていました。

そうした当局の意向が反映されたのでしょう。パステルナークは、完成した原稿を持ち込んだ文芸誌『ノヴィ・ミール』から、この作品は出版できないという返事を受け取ります。私は原作を読みましたが、反共的な作品という印象は受けませんでした。ただし、革命やそれに続く内戦によって生じた現実が、赤裸々に記されているのは事実です。

特に印象的なのは、平和的革命という理想に燃えていた若き革命家パーシャが、後に人殺しを厭《いと》わない過激な革命戦士ストレルニコフに変貌してしまうところです。彼の変貌は、貧しい人々の救済を掲げて起こしたロシア革命が、革命後の混乱を一党独裁により治めようとする中で、より過激な独裁者スターリンのもと大粛清を行うまでに変貌していったソ連そのものの変化を象徴していると言えます。

そして、こうした「事実」こそが、当局にとっては不都合なものだったのでしょう。さらに、登場人物の誰も幸せになることがないエンディングも、社会主義革命の世界輸出を目指していたソ連当局にとっては、容認しがたいものでした。

国内で出版が差し止められる中、『ドクトル・ジバゴ』の原稿は、完全な形での出版を望むパステルナークの協力者によって、イタリアのフェリトリネッリ書店に届けられ、一九五七年十一月、翻訳ではありますが、完全な形で世に出ることになります。

イタリアで出版された『ドクトル・ジバゴ』は、西側諸国で次々と翻訳出版され、各地で大ヒットを記録しました。

そして翌一九五八年には、パステルナークのもとにノーベル文学賞受賞の知らせが届けられたのです。この第一報に対し、パステルナークは「非常に感謝している」と一旦は受賞の意を伝えるのですが、ソ連当局はこれを西側の陰謀と断じ、国を挙げてのネガティブキャンペーンを展開します。

パステルナークはソ連作家同盟理事会を全会一致で除名され、まだ出版すらされていない『ドクトル・ジバゴ』は、ブルジョワ階級に育ったパステルナークが、革命で特権を失った恨《うら》み言を綴った反共作品だと喧伝《けんでん》されました。

しかし、パステルナークにとって最も辛かったのは、もしもノーベル賞の授賞式に出席したなら、二度とソ連に戻ることは許さないという通告を受けたことでした。ロシアの国土を自らの創作の根源とするパステルナークにとって、その国土から追放されることは死よりも辛いことでした。

最終的にパステルナークは、ノーベル賞受賞を辞退するとともに、フルシチョフへの謝罪の手紙にサインすることで、かろうじて国内に留まることが認められます。

パステルナークがその生涯を閉じるのは、ノーベル賞騒動からわずか二年後の一九六〇年。彼の死はほとんど告知されなかったにもかかわらず、多くの人々の手書きのメモによって広められ、葬列には数千人もの市民が追悼に訪れました。そして彼らは、当局に禁止されていた彼の詩を最後のはなむけに墓前で暗唱したといいます。

社会主義に見た希望

私は一九七三年に大学を卒業した世代ですが、当時は少なからずの若者が社会主義に多少の希望を見ていました。

作家の佐藤優さんは、私より十三歳ほど年下ですが、十五歳の時にソ連や東欧の社会主義国を巡る一人旅をし、その経験を『十五の夏』(幻冬舎)という著書にまとめています。これを読むと、彼が旅した一九七五年当時、多くの人々が、社会主義国に関心を寄せ、十五歳の佐藤少年の決断を「貴重な経験となるだろう」と、後押ししてくれている様子がとてもよくわかります。それだけ多くの人々が、社会主義国という人類の新たな挑戦に可能性を見出していたということです。

かつてプロイセン出身の思想家カール・マルクスは、資本主義が高度に発達すると、その最終段階として社会主義・共産主義が現れると考えていました。そのため、共産主義社会が実現するのは、当時すでに資本主義が発達していたイギリスやフランスだろうと予測していました。

しかし実際には、この予測は外れ、世界初の社会主義国家を樹立させたのは、ヨーロッパの中でも経済的にも文化的にも後進のロシアでした。

ロシアでは中世から続く農奴制が、ロマノフ王朝のもと一六四九年に立法化されて以降、十九世紀半ばに農奴解放令が発布されるまで、国民の多くを占める農民たちは土地に縛られる「農奴」として過酷な労働を強いられていました。

やがて農奴からは解放されたものの、その実体は土地に縛られた農奴が、低賃金労働者として地主から資本家に売られるという現実を招いただけで、一般大衆の生活が貧しく苦しいものであるという現実は何も変わらなかったのです。それでも、農奴解放以降は、ナロードニキ運動（農村の中に入っていって、革命思想を広めていこうという運動）など、文化人や知識人の一部が民衆の中に入っていき、社会主義思想が少しずつ大衆の中に広まり、世界初の社会主義革命を成功させる土壌を醸成していったのです。

なぜ社会主義革命は西洋ではなくロシアで起きたのか

一方、マルクスが共産主義社会の到来を予測したイギリスでは、革命は実現しませんでした。その理由は、発展した資本主義政権が、社会主義的な政策を取り入れることで、労働者階級の反発を吸収することに成功したからです。わかりやすく言えば、経済は資本主義で回しつつ、政権がさまざまな社会福祉政策を実施することで、貧困層の不満をある程度吸収し、革命を未然に防いだということです。

農奴解放以降、ロシアでも低賃金労働者が出現したことで資本主義が発展を始めますが、十分に資本主義が発展する前に、民衆の生活を圧迫する戦争が立て続けに起きてしまいます。一九〇四年に始まった日露戦争での相次ぐ敗北は、一九〇五年の第一次革命を誘発し、形だけではありましたが、「国会（ドゥーマ）」の開催を皇帝に認めさせます。

しかし、一九一四年から始まった第一次世界大戦での相次ぐ敗北は、国民の革命への機運を再燃させせました。

このときレーニンは、愛国心から戦争に協力する社会主義者たちを批判し、今は帝国主義戦争における勝利を目指すのではなく、むしろ敗北に乗じて革命を起こすべきだと主張しました。そして、現実はレーニンの目論見どおり、ロシアの敗色が増していくのに伴い、革命運動が高まっていったのです。

一九一七年二月に全国で起きたデモやストライキに兵士の反乱が加わり、革命運動は武装蜂起に発展、ついに皇帝ニコライ二世は退位に追い込まれ、ドゥーマは解散し、新たに立憲民主党を中心とした臨時政府が樹立されます。

同時に武装蜂起した革命勢力は、ペトログラードでソヴィエド政権の樹立を宣言し、国内は二重権力状態に陥ります。当初、ソヴィエト政権は、条件つきで臨時政府の国政を承認しますが、資本家や貴族といった資本主義勢力を多く含む臨時政府が戦争の継続を主張したことで、両者は決裂します。

急ぎ亡命先から戻ったレーニンは、武力革命を目指すボリシェビキによる武装勢力を率い、臨時政府の打倒と、戦争の即時停止を掲げ（四月テーゼ）、一九一七年十一月、ついに臨時政府を倒し、武力による革命「十一月革命」を成し遂げたのでした。

こうした流れからもわかるように、革命に至る引き金は、資本主義の高度な発達ではなく、貧富の差の拡大によって民衆が極度の窮乏状態に追い詰められることでした。

革命後レーニンは、反対派を追放し、ボリシェビキを「共産党」と改名し一党独裁を推し進めていきます。

レーニンは、独裁こそが国内を安定させる最善策だと考えたのでしょうが、現実は思うようには進んでいきませんでした。革命を急いだことで、国内には反ボリシェビキ勢力が数多く残り、彼らとの内戦が繰り広げられることになったからです。『ドクトル・ジバゴ』では、革命後に国内が赤軍（ボリシェビキ）と、白軍（君主派及び反ボリシェビキ）に分かれ熾烈な内戦を繰り広げていく様子が見て取れます。

新たな社会主義の可能性

パステルナークは、一人の詩人が革命の嵐の中でどのように愛を育み、生き、最終的に何を選択したのかを、自らの経験をもとに『ドクトル・ジバゴ』を書き上げました。

そして『ドクトル・ジバゴ』という作品もまた、東西冷戦という荒波の中、対立陣営である西側で出版され、映画化されるという数奇の運命をたどりました。

現在、世界はまた大きな変革の時期にさしかかっていることを感じます。そんな今だからこそ、この作品から学べることは多いと、私は思うのです。

今回私がこの映画を取り上げたいと思ったのは、もちろん作品そのものが素晴らしいということもあるのですが、今の若い人たちが、社会主義というものをもう一度考えるきっかけになれば、という気持ちがあったからです。

現在多くの人は、社会主義はすでに失敗が立証された「過去のもの」だと考えていますが、それは大きな誤解です。社会主義は、社会に貧富の差や不平等が拡大すれば、また必ず出てきます。つまり、世界的に貧富の差が拡大している今、その可能性は日に日に大きくなっているということなのです。

もちろん新しく現れる社会主義は、かつての社会主義と同じものではないでしょう。しかし、社会主義の理念そのもの、つまり、「貧富の差がない社会の実現を目指す」という思想そのものは、決して間違ったものではないのですから、新たな形の社会主義が、必ず近いうちに現れてくる、と私は思っています。

例えば、これはあくまでも一つの可能性ですが、「自由」を基調とした社会主義や共産主義というものもあり得るのではないでしょうか。

二十世紀の社会主義は、「平等」を基調とした社会主義でした。それが失敗であったことは、すでに歴史が証明しています。

考えてみれば、古代ギリシアやローマの社会は、労働者階級としての奴隷を前提として成り立った社会でした。同じく近代資本主義の発展も、低賃金の労働者を前提として成り立った社会でした。つまり、奴隷や低賃金労働者に労働を担わせることで、裕福な人々は自由に趣味や娯楽、文化的な生活を享受していたのです。

しかし、すべての人々の人権が認められた現代社会では、もはや一部の人々に社会の礎《いしずえ》を担わせることで、自由を謳歌するという社会は受け入れられません。

さらにこの問題は、多くの人が社会主義との結びつきから強い嫌悪感を示す独裁についても、見直す点があることも示唆しています。独裁の最大の問題は、独裁者が特定の個人や一部の人々の利益に偏《かたよ》った判断をしてしまうことにあります。しかし、誰かが正しい判断をしてくれるのであれば、より多くの人が、煩《わずら》わしい問題から解放され、より自由に人生を楽しむことができるようになるのもまた事実です。事実、古代ギリシアの哲学者プラトンは、正しい判断ができる哲人皇帝であれば、という条件の下、独裁を肯定しています。

いずれ、近年めざましい発展を遂げるＡＩ（人工知能）によるデジタル独裁が出てくるかもしれません。しかし、将棋の駒ならともかく、人間社会に「正しい答え」などあり得ません。怖いのはデジタル独裁の判断を「正しい答え」として大多数の人々が信じてしまうことです。非常時に即座な判断が必要なとき、ローマ人の独裁官が半年任期（任期中の不正は後に訴追可能）で認められていたように、独裁が有効なことはあり得ます。しかし、平時には、やはり人々が知恵を出し合って、進むべき道筋を考えることがこれからも大切なことです。

17/21

The Sting

『スティング』

スティング

観客をもだます完璧な脚本

一九七三年（日本公開は一九七四年）に公開された映画『スティング』は、監督、キャスト、カメラ、衣装、音楽などさまざまな面で高く評価されている作品ですが、その最大の魅力は、なんと言ってもオリジナル脚本にあります。

脚本を手がけたのは、当時二十八歳のデヴィッド・ウォード。教育映画会社に雇われていた彼は、映画監督になることを目指し自ら脚本も書いていました。そうした中で、スリについて調べていたとき、詐欺師の映画がないということに気づき、これをテーマにすれば、今までにない面白い映画が作れるのではないか、と思いついたと言います。

こうして詐欺師に興味を持ったウォードは、さまざまな本を読みあさりました。中でも彼に大きな影響を与えたのは、アメリカの裏社会について研究していたデヴィッド・W・モラーが著した『The Big Con: The Story of the Confidence Man』（一九四〇年、Bobbs-Merrill Company／邦題『詐欺師入門―騙しの天才たち：その華麗なる手口』一九九九年、光文社）という本でした。この本は、モラー自身が一九三〇年代に取材した、何百人もの裏社会の人々のエピソードをもとにして著されたものでした。ウォードは、こうした実在の詐欺師のエピソードを参考に、『スティング』の脚本を書き上げたのです。

脚本ができた当初、ウォードは、自ら監督をするつもりでいましたが、面識のあったロバート・レッドフォードに脚本を読んでもらったところ、素晴らしい脚本だからこそ、経験豊富な監督が必要だとアドバイスされ、最終的に脚本は『明日に向って撃て！』（一九六九）の監督ジョージ・ロイ・ヒルの手に委ねられることになったのでした。

物語の舞台は一九三六年九月のシカゴ。若き詐欺師ジョニー・フッカー（ロバート・レッドフォード）は、師であり仲間でもあるルーサーとともに、通行人相手の些細な詐欺で日銭を稼ぐ日々を送っていました。そんなある日、二人は一人の通行人から思わぬ大金をだまし取ることに成功します。大金をせしめて喜んだのもつかの間、二人がだましとった金は、大物ギャング、ドイル・ロネガン（ロバート・ショウ）のもとへ届けられるはずの賭博の上納金であったことが発覚します。フッカーが事の重大さに気づいたときにはすでに遅く、ルーサーはロネガンの手下に殺されてしまっていました。

復讐を誓ったフッカーは、ルーサーの古い知り合いでもある詐欺師ヘンリー・ゴンドーフ（ポール・ニューマン）の助けを借りて、ロネガンを相手に一世一代の大博打《ばくち》を仕掛けるのでした。

このように言うと、詐欺師が復讐のために大物ギャングをだます殺伐とした映画だと思うかも知れません。何しろ時代は、アメリカが大恐慌（一九二九）から立ち直り切れていない一九三六年、しかも場所は「犯罪都市」の異名を持つシカゴです。

ところが映画『スティング』には、スリルはあっても殺伐さは全くありません。登場人物は、詐欺師にスリにギャングに殺し屋、警察官はそうした悪人どもから賄賂《わいろ》をむしり取る悪辣《あくらつ》な奴と、どうしようもない奴らばかりなのですが、実に上質なエンターテインメント作品に仕上げられているのです。

すでにこの映画をご覧になったことがある方にはわかると思いますが、この作品は初見が最も楽しめるネタバレ厳禁の作品です。なので、これ以上詳しいストーリーについては申し上げられませんが、恐らく初めて見た人は必ずと言っていいほどだまされるでしょう。

それも、「わかったぞ!」と思ったその瞬間にすでにだまされている、という実によくできた脚本なのです。しかも、最後に自分がだまされていたことがわかっても、「うわっ、してやられた」とは思うものの、むしろそれが愉快で爽快なのですから完璧です。

キャスティングと音楽

この映画は、監督ジョージ・ロイ・ヒルのもと、ロバート・レッドフォードとポール・ニューマンが配役されるという、大ヒット映画『明日に向って撃て!』のトリオが再集結したことでも話題になりました。

アカデミー賞では、若き詐欺師フッカーを演じたロバート・レッドフォードが主演男優賞にノミネートされましたが、私はこの映画は、出番はフッカーより少なくとも、ゴンドーフを演じたポール・ニューマンとのダブル主演映画と言っていいと思っています。

実際、ポール・ニューマンは、ゴンドーフ役を決して助演とは思っていませんでした。

そもそもゴンドーフ役にキャスティングされたのは、『明日に向って撃て!』以降ヒット作に恵まれていなかったポールが、ジョージに「僕にも役はない？」と打診したのがきっかけでした。

そのときジョージは、「脇役だが」とゴンドーフ役の話をし、脚本をポールに送りました。すると、脚本を読んだポールは、ジョージに「君は素晴らしい監督だが、脚本を誤解している。この映画の陰の主役はゴンドーフだよ」と言って、喜んでゴンドーフ役を引き受けたというのです。

監督も主演の二人も絶賛するこの脚本には、一九三〇年代のアメリカにしか存在しなかった街の様子や、シカゴ独特の支配環境、警察官の立ち居振る舞いやスラング、そして、当時だからこそ成立し得たイカサマの仕方が盛り込まれています。そうした時代性は、ウォードが綿密に調べ、脚本に盛り込んだものですが、それを見事に映像化できたのは、やはり経験と実績のあるジョージ・ロイ・ヒルの手腕の賜《たまもの》だったと言えるでしょう。

でも、実はたった一つだけ、この映画には時代的に合わないものが使われているのです。それは、音楽です。

映画『スティング』のもう一つの魅力は、この作品によって一躍有名になった「ラグタイム」という音楽です。これはシンコペーションと称されるリズムの強調を多用した独特の音楽で、十九世紀の末から二十世紀初頭にかけてのアメリカで、ポピュラー音楽として流行した音楽でした。しかし、その人気は第一次世界大戦までで、世界恐慌以降はすっかり忘れられていました。そのため、一九三〇年代半ばを舞台とする『スティング』とは、時代的に少しずれているのです。

音楽を担当したマービン・ハムリッシュは、ラグタイムの軽妙な旋律が映画にマッチしていると思いながらも、時代的なズレを気にして、ジョージに不安を漏らしたと言います。するとジョージは、「そんなことに気づくのは君ぐらいだから気にするな。映画の雰囲気に合っているのでこれでいこう」と言い、採用が決まったのでした。

残念ながら、このことに気づいたのはハムリッシュだけではなく、映画がヒットすると「音楽が時代に合っていない」という苦情も来たようですが、映画に合ってないというクレームはなく、テーマ曲の「The Entertainer／エンターテイナー」は、映画以上の大ヒットを記録しました。

ちなみに、映画のクレジットには、音楽を担当したマービン・ハムリッシュの名前しかありませんが、「The Entertainer」は、「ラグタイム王／King of Ragtime」と呼ばれた作曲家スコット・ジョプリンが一九〇二年に発表したもので、映画に使われている曲は、ハムリッシュがジョプリンの曲を映画用に編曲したものでした。

スコット・ジョプリンは、生前、作曲による報酬は得ていましたが、作曲家としては正統な評価を受けていませんでした。というのも、ラグタイムは黒人音楽の影響を受けて生まれた音楽で、ジョプリン自身もアフリカ系アメリカ人だったからです。

でも、『スティング』に彼の曲が使われ、大ヒットしたことで再評価が進み、現在は全米クラシック音楽における重要な作曲家の一人として評価されています。

世界恐慌からの回復期

『スティング』の舞台となっている一九三六年のアメリカというのは、一九二九年九月四日に起きた株式市場の大暴落から始まった世界恐慌から、ようやく立ち直り始め、経済的に良くなりつつある頃だと言えます。

大恐慌が起きた当時のアメリカ大統領は、三月に就任したばかりの共和党のフーヴァーでした。フーヴァーは、「どの鍋にも鶏一羽を、どのガレージにも車二台を！」という景気のいいスローガンを掲げて選挙戦を戦い、大人気を得て圧勝した大統領でした。

しかし、その数年後には、国民は自分たちの選択を後悔することになります。なぜなら、アダム・スミスに代表される古典経済学派の信奉者であったフーヴァーは、株価が大暴落しても、アメリカ経済が未曾有の不況に陥っても、「しばらくすれば景気は回復する」と言うだけで、市場への介入を見送り、その他の政策も取らず、アメリカ経済をさらに悪化させてしまったからです。その結果、街には失業者が、農村では浮浪児が溢れ、全米を絶望が支配してしまいました。

そうした中で新たな大統領に選ばれたのが、民主党のフランクリン・ルーズベルトでした。彼は大統領に就任するとわずか百日の間に、いくつもの政策を矢継ぎ早に打ち出します。

ルーズベルトは、前任のフーヴァーが大恐慌の要因を海外に求めたのとは対照的に、国内制度の不備や政策の失敗と見なしました。そしてさまざまな具体的な改革案を、「非常時」であることを理由に半ば強引に実施していったのです。失業者対策として大規模な公共事業を展開し、農民に対しては生産制限と補助金を柱とする農業調整によって農業の安定を図り、さらに、金本位制から離脱し、銀行の整理を断行するなど国内経済に積極的に介入し、国がコントロールする形で立て直しを図ったのでした。

彼のこうした政策は、一九三二年の民主党大会で大統領候補に指名されたときに行った演説での「私はアメリカ国民に誓う。困難にニューディール（新たな対応）で臨むことを」という言葉から「ニューディール政策」と呼ばれました。

ニューディール政策の施行は、政府機能の強化や政党と経済界の結びつきが強化されるなど、後に続くさまざまな変化をもたらしましたが、その成果はめざましく、アメリカ経済は一九三〇年代後半から回復を遂げていくことになります。

『スティング』は、まだ貧しさの影は残るものの、回復期に入ったアメリカの空気を見事に映し出しています。

ギャングシティー「シカゴ」

表の経済が回復すると、裏の経済も活況を見せるのが世の常です。

主人公のフッカーとゴンドーフがターゲットとしたドイル・ロネガンという人物は、ニューヨークとシカゴを牛耳るギャングのボスです。

シカゴは今でもアメリカの大都市の中で、犯罪件数が多い都市として知られています。では、いつからシカゴは「犯罪都市」と言われるようになったのでしょう。実は、シカゴで犯罪が多発するようになったのは、一八七一年に起きたシカゴ大火災が遠因だとする説があります。

ミシガン湖の南西岸に位置するイリノイ州の都市シカゴは、早くから鉄道や水運の拠点として栄えた都市です。そのシカゴに「犯罪都市」の他にもう一つ異名があるのをご存じでしょうか。

もう一つの異名、それは「WINDY CITY／風の街」というものです。

ミシガン湖から流れこむ強風、これがシカゴ大火災の被害を甚大なものにした要因でした。一八七一年十月八日の夜に発生したこの大火の原因はいまだに不明ですが、その被害は凄まじく、焼失面積は約八〇〇ヘクタール、都市のほとんどが焼き尽くされ、一〇万人以上が家を失いました。

すでに大都市だったシカゴの焼失は、ある意味シカゴを近代都市として再設計し直す大きなチャンスとなりました。再びの火災を恐れた市は木造住宅の建築を禁止し、新たに造られる建物はレンガや石、鉄といった火災に強い建材を用いることが推奨されました。

街全体を再設計、再建築するというまたとない機会に、アメリカ中から多くの建築家が集まり、シカゴは後に摩天楼と称される高層建築が立ち並ぶ近代都市に生まれ変わりました。ちなみに、社会学に「シカゴ学派」という都市社会学の派閥がありますが、これは、シカゴ大学で形成された、大火災後のシカゴの都市計画研究に端を発したものなのです。

都市の近代化がなぜ犯罪と結びつくのかというと、その後の第一次世界大戦期における戦争特需で、労働力の需要が急増した際、南部からシカゴに多くの黒人が流入したからでした。

というのも、ちょうどこの時期は、南部の農村では綿花を食い荒らす害虫が大量発生しており、南部の黒人労働者の生活が困窮していたからです。こうして北部での労働力需要に引っ張られる形で、一九一五年から一九三〇年にかけて、約二〇〇万人もの黒人労働者が北部の都市へ大移動しました。こうしてシカゴの黒人人口は、約二十年で五・三倍に膨れ上がりました。

黒人の大量流入は、それまで都市の労働を担っていたアイルランド系移民や南・東欧移民との間に軋轢《あつれき》を生み、差別を引き起こし、それに反撃する形での黒人による暴動へと発展することになります。一九一九年に起きた「シカゴ暴動」は、その最たるものでした。

日々の生活に困窮した黒人たちはやがて犯罪に手を染めるようになり、次第にシカゴの街は荒れていったのです。

こうした状況の中、一九二七年の市長選で当選したのがアル・カポネの支援を受けたウィリアム・トンプソンでした。多額の献金によって市長と癒着したアル・カポネは、警察関係者も買収し、事実上の市長としてシカゴの街に君臨することになったのです。

実際、現在ではあり得ないことですが、一九二七年のイリノイ州で捕まったギャングの有罪率は、なんと〇%なのです。犯罪が起きれば警察が対応し、ギャングは捕まり裁判にもかけられるのですが、警察はもちろん、裁判官も陪審員も皆アル・カポネから賄賂をもらっているので、無罪となってしまうのです。正式な裁判手続きを踏んだ結果、無罪となっているので、被害者は手の打ちようがないというわけです。

変化するギャングのシノギ

アル・カポネの時代、ギャング最大の財源は酒の密造と販売でした。

一九二〇年から一九三三年までのアメリカは「禁酒法」が施行されており、消費するためのアルコールの製造と販売、輸送が禁じられていました。しかし、法律で禁じられたからといって、昨日までお酒を飲んでいた人々が飲まずにいられるわけもなく、お酒は闇ルートで製造、販売されることになります。もちろん見つかれば法律違反なので罰せられますが、アル・カポネのように街全体を（実際には州全体を）牛耳っていれば、捕まる心配などなくぼろ儲けができるというわけです。

しかし、密造酒の製造・販売が巨大な財源になり得たのは、禁酒法が施行されていたからです。一九三三年にルーズベルト大統領が経済対策の一つとして禁酒法を撤廃すると、もはや財源にならなくなります。

もちろんギャングの財源は賭博や売春など他にもありましたが、大きな財源を失ったことで、もともとあった財源を拡大するとともに、新たな財源を創出しなければならなくなります。

そこで注目されたのが賭博です。

アル・カポネがシカゴを牛耳り、暗黒街のボスとして君臨していたのは一九二〇年代後半。ですから、『スティング』の時代より少し前、ということになります。そういう意味では、ロネガンはアル・カポネの後を引き継いだ暗黒街のボスと言えるでしょう。

ロネガンは、表向きは食肉工場や銀行を営み、政治家とも太いパイプを持つ実業家ですが、その実態は、裏でいくつもの賭博場を営み、多額の利益を得ているギャングです。しかも、自らは手を下さなくても、多くの邪魔者を部下や子飼いの殺し屋に始末させることでのし上がってきた大物です。

それをだまして大金をせしめようというのですから、一筋縄ではいきません。

ネタバレになるといけないので詳しくは触れませんが、フッカーとゴンドーフはこの大勝負に「競馬」を利用します。

競馬というとイギリスやフランスなどヨーロッパの貴族文化というイメージが強いと思いますが、アメリカでも十九世紀末には多くのブックメーカーが乱立し、巨額な売り上げを誇っていました。とはいえ、当時のアメリカ競馬界には中央統制機関がなく、その運営は州単位で行われていたため、調教師や騎手の中には公正さについて自覚のない者も少なからずいて、かなりダーティーなものでした。

その結果、競馬を禁止しようという動きが次第に強くなり、ミズーリ州やイリノイ州で競馬が禁止されたことを機に、多くの州が競馬を禁止するようになっていきました。

こうして一九〇八年には、ニューヨークで賭事が禁止されたこともあり、十九世紀末にはアメリカ全土で三〇〇以上あった競馬場が、わずか二五にまで減少してしまうという「冬の時代」を迎えます。

アメリカ競馬界に春の兆《きざ》しが訪れるのは、しばらく後。競馬文化の残っていたケンタッキー州が、法律上の権限に則《のっと》るかたちで競馬の運営に乗り出したのです。こうして生まれたケンタッキー州競走管理委員会が、その後事実上の統括団体として役割を果たすことで、各地で公正な競馬開催の道が開かれていったのです。

一九三〇年代のアメリカ競馬は、大恐慌のあおりを受けて賞金額や競走馬の競り価格は低下したものの、一攫千金を目指す人の需要や、馬券収入が州の厳しい財政の財源になるということで、競馬自体は各地で盛んに開催されました。

統括団体ができたことで、恣意的なオッズ（掛け率）を設定するブックメーカーは禁止されましたが、裏社会では、そんな表のルールが守られるわけもなく、表の「公正な競馬」を利用したギャンブルが半ば公然と行われていました。

では、フッカーたちはそれを使って、どのような手口で大勝負を仕掛け、結果はどうなったのか。それは、ご自身で映画を見て確かめてみてください。

18 / 21

Casablanca

『カサブランカ』

カサブランカ

男は純愛だが、女は複雑だった

『カサブランカ』は、一九四二年にアメリカで公開された恋愛映画です。上映時間は一時間四十二分と長くはなく、ストーリーもそれほど複雑なものではありません。

舞台は、一九四一年十二月のフランス領モロッコの都市カサブランカ。映画の製作期間を考慮すれば、ほぼリアルタイムの作品と言えます。

主人公は、リック・ブレイン（ハンフリー・ボガード）というアメリカ人男性。彼にはかつてパリにいたとき、深く愛し合ったイルザ（イングリッド・バーグマン）という恋人がいました。しかし、ナチス・ドイツの侵攻によってパリが陥落したとき、二人でパリから逃げだそうとしていたまさにその日に、彼女は理由も告げず姿を消してしまいます。

深く傷ついたリックが、カサブランカで相棒のピアノ弾きサム（ドーリー・ウィルソン）とともに「カフェ・アメリカン」という酒場を開き、ようやく日常を取り戻しかけたとき、イルザが夫ラズロ（ポール・ヘンリード）とともにその店を訪れたことで、二人は偶然の再会を果たします。

イルザとラズロがリックの店を訪れたのは、ドイツ抵抗運動の指導者としてナチに追われるチェコ人のラズロが、妻と共にアメリカへと亡命するための通行証を闇屋のウガーテから受け取るためでした。しかしウガーテは、通行証をリックに預けカジノで遊んでいたところを、ラズロと落ち合う前に警察に捕らえられてしまいます。

リックが通行証を持っていることを知ったラズロは、リックに譲ってくれるよう頼みますが、イルザに心を深く傷つけられていたリックは決して首を縦に振りません。そして、そこまで頑《かたく》なに断る理由を問われたリックは、「理由は奥さんに聞け」と言うのでした。

その言葉で二人の関係を察したラズロでしたが、妻を深く愛する彼は、それ以上追求することなく、他の道を探そうとイルザに告げます。

その夜、イルザは一人リックのもとを訪ね、なぜ自分が理由を告げず姿を消したのか、そのわけと、心では今もリックを愛していることを告げ、自分ではもはや決断できない運命の選択をリックに委ねるのでした。

深く心を傷つけられながらも、イルザへの思いを断ち切れずに苦しむリックと、妻のすべてを受け入れ深く愛する夫のラズロ。二人の男の純粋な愛情の間で、複雑な事情と思いを抱え揺れ動くイルザ。この作品は、そうした男女三人の心の機微を描いた恋愛映画です。

二つの政府と三つの地域

この映画は、ある意味シンプルなラブストーリーなのですが、映画の時代背景を知ると、そこに深い政治的メッセージが込められていることがわかります。

ドイツのポーランド侵攻によって、第二次世界大戦が始まったのは一九三九年九月。すでにチェコスロバキアを解体していたドイツは、ポーランドを獲得すると、デンマーク、ノルウェー、ベネルクス三国（オランダ、ベルギー、ルクセンブルク）へと、次々と侵攻の手を広げていきました。そして、リックとイルザがパリ脱出を余儀なくされた、事実上のフランス敗北「パリの無血開城」が一九四〇年の六月。連合国軍はこのとき大陸からの撤退を余儀なくされています。

ときのフランス政府、ポール・レノー内閣は総辞職し、副首相であったフィリップ・ペタン元帥が新たな首相に就きますが、ペタンは、パリを含むフランス北部のドイツ占領を許したうえ、アルザス・ロレーヌ、サヴォア、ニースの三地域をドイツに割譲、首都をフランス中南部の都市ヴィシーにおくことで、かろうじて主権国家としての体裁を保ったのでした。とはいえ、ヴィシー政権の実態は、ナチス・ドイツの傀儡《かいらい》政権と言われても仕方のないものでした。

こうした母国の現状に対し、国防次官だったシャルル・ド・ゴールは、亡命先のロンドンで亡命政権「自由フランス」を立ち上げ、ラジオを通じて国内のフランス人たちに「レジスタンス／抵抗」を呼びかけました。

このとき、ド・ゴールが自由フランスの公式シンボルとして採用したのが、「ロレーヌ十字」です。ロレーヌ十字は、十五世紀の百年戦争の際に、オルレアン解放の立役者となったジャンヌ・ダルクの象徴であり、十九世紀初頭にロレーヌの三分の一とアルザスが併合された際には、失った領土の回復を目指すフランス人たちの間で愛国心の象徴として用いられたシンボルでもあります。

映画の中でもロレーヌ十字は、レジスタンスの象徴として、「自由フランス」のチラシや、男がラズロに自分が仲間であることを示すために、指輪に隠していたロレーヌ十字を見せるという形で使われています。

本国のヴィシー政権とロンドンの「自由フランス」、二つの政府が生まれる中、フランスの領土は、大きく三つの地域に分かれることになります。

一つはパリを含むフランス北部の「ドイツ占領地域」、二つ目はヴィシー政権の首都ヴィシーを含むフランス南部の「非占領地域」、そして三つ目がフランス国外のフランス領、つまり「植民地」です。

ドイツ占領地域は完全にナチス・ドイツの支配下にありましたが、フランス南部の非占領地域は、ドイツの影響力下にあったものの、フランス人によって統治されていました。同じく、フランス領植民地にもドイツの影響力は及んでいましたが、他の二地域と比べればその力は弱く、ドイツ政府にレジスタンスの逮捕など法的権限はありませんでした。

リックはアメリカそのもの

ナチス・ドイツのヨーロッパ侵攻は、多くの難民を生み出しました。西へ西へと戦禍を逃れて移動してきた人々は、フランス北部がドイツに占領されたことで、北からイギリスへ渡るルートをたたれ、南へと移動せざるを得なくなりました。

難民の多くが目指したのは、戦禍の及んでいないアメリカでした。

しかし、フランスから直接アメリカへ渡るルートはなく、唯一残されていたのが、フランス南端のマルセイユから地中海を船でオランへ渡り、陸路でカサブランカへ向かい、カサブランカから、海を挟んで六〇〇キロメートルほどの対岸に位置する中立国ポルトガルのリスボンへ行く飛行機に乗り、リスボンからアメリカへ渡るというルートでした。

辛い長旅を耐えカサブランカにたどり着いても、リスボンに渡るためには、ヴィシー政権が発行した出国ビザが必要でした。そのため、カサブランカではヨーロッパ中からやってきた多くの人々が、ビザを求めて待ち続けることになったのです。

一方、当時アメリカには、すでにヨーロッパから多くの難民が流入していました。彼らは大国アメリカの連合軍参加を期待して働きかけていましたが、アメリカはなかなか参戦に踏み出せずにいました。アメリカ大統領ルーズベルトは、ファシズムの拡大を危惧してはいたものの、アメリカ国内世論が第一世界大戦後の厭戦《えんせん》ムードに支配されていたため、大統領としては中立の立場を崩すことができなかったのです。

そんな厭戦の空気を一気に払拭《ふっしょく》し、アメリカを参戦させたのが、日本の真珠湾攻撃だったのです。アメリカの宣戦布告を受けて、ハリウッドでもアメリカ国民の戦意高揚を促す映画の製作が推し進められていきました。

当時のハリウッドには、ヨーロッパから亡命してきた映画人や、ナチス・ドイツから迫害を受けていたユダヤ系の人々が多くいたことも、こうした動きに拍車をかけたと言われています。事実、『カサブランカ』も、監督のマイケル・カーティスを筆頭に、ユダヤ系の人々やヨーロッパから戦禍を逃れてきた人々が数多く製作に関わっています。例えば、シュトラッサー大佐を演じたコンラート・ファイトは、ドイツ出身の有名俳優でありながら、奥さんがユダヤ系だったためアメリカに逃れてきましたし、音楽を担当したマックス

・スタイナーはオーストリア出身のユダヤ人でした。ちなみにスタイナーは『風と共に去りぬ』の楽曲の作曲者でもあります。

物語の骨子となっている、ヴィシー政権下のフランス植民地で、そんなビザ待ちの人々を相手に酒場を営むリックというアメリカ人の恋愛物語を最初に思いついたのは、マレー・バーネットというアメリカ人の教師でした。一九三八年に妻と訪れたヨーロッパ旅行でこの物語の着想を得たバーネットは、帰国後ジョアン・アリソンの協力を得てこれを舞台の脚本に仕上げました。

一九四〇年に完成したこの脚本のタイトルは『Everybody Comes to Rick's／みんながリックの店に来る』。当初、二人はブロードウェイでの上演を目指しましたがうまくいかず、結局、ワーナー・ブラザーズに二万ドルで売却します。その後、映画化するにあたり、何人もの脚本家が手を加え、タイトルも『カサブランカ』と変更され完成したのが本作なのです。ちなみに、タイトルを『カサブランカ』としたのは、スペイン語の地名「カサブランカ」が「白い家」という意味であり、アメリカの政権中枢を象徴する「ホワイトハウス」を暗示しているという説もあります。

この説が事実かどうかは定かではありませんが、そう言われてみると、主人公リックの常に中立の立場で、他人のもめ事に関わることを避けようとするキャラクターは、国際社会において中立の立場をとり続けていた、アメリカの姿を映しているようにも見えます。

しかしそんなリックも、再会したイルザから彼女が姿を消した衝撃の理由を告げられたことで、中立と無関心を維持できなくなっていくのです。

ラズロは日本人とのハーフ⁉

ヒロインのイルザを愛するもう一人の男、ヴィクトル・ラズロは、チェコの反ナチス活動家で、レジスタンスのリーダー的人物です。もちろん架空のキャラクターですが、彼には実在のモデルがいたと言われています。

その人物とは、リヒャルト・クーデンホーフ・カレルギー伯爵。後のEU（European Union／欧州連合）に繋がる「国際汎ヨーロッパ連合／International Paneuropean Union」を設立した人物として、ヨーロッパでは「EUの父」の一人に数えられる先駆的人物です。

日本ではそれほど知名度の高くないリヒャルトですが、実は彼はオーストリア貴族の父と日本人の母を持つ人物なのです。日本で生まれたことから、青山栄次郎という日本名をも持っています。

彼の父は、明治期の駐日オーストリア大使、ハインリヒ・クーデンホーフ・カレルギー、母は佐賀藩士の血を受け継ぐ青山光子という日本人女性です。ハインリヒと光子は日本で結婚し、二人の男子を授かるのですが、その次男がリヒャルトです。二人の夫婦仲は、夫の帰国と共にオーストリアへ渡った後も円満で、光子は彼の地でさらに五人の子女を授かっています。

しかし、ハインリヒは一九〇六年に急逝、夫の遺産を相続した光子は、頼る者もいない異国で、子供たちを夫が望んだとおり、ヨーロッパ人として育て上げます。

ちょっと面白いのは、リヒャルトが結婚した女性についてです。

リヒャルトが愛したのは、二度の離婚歴を持つ年上のイダ・ローランドというユダヤ系の女優でした。二人が結ばれたのは、リヒャルトが十九歳、イダが三十四歳のときでした。映画の中には、イルザがラズロと結婚したのは十九歳のときだったとリックに告白するシーンがあります。つまり、モデルと映画の登場人物では、夫婦の年齢設定がほぼ逆になっているというわけです。

二人の結婚に猛反対した光子は、リヒャルトを勘当。実家の資金援助を受けられなくなったリヒャルトは、イダの経済的支援のもと、彼の代表作となる『汎ヨーロッパ』を出版したのでした。

その後第二次世界大戦が始まり、危険人物としてナチス・ドイツに追われる身となったリヒャルトは、イダと共にハンガリー、ユーゴ、イタリア、スイス、フランスと移動しながら活動を続け、一九四〇年のパリ陥落を機に、映画とは異なるルートですが、スイスからポルトガルを経てアメリカへ渡っています。

ラズロは、一見すると常に冷静で理知的な人物ですが、心の奥には妻への深い愛情と、拷問にも屈しない強靱な精神力を持つ、なかなか魅力的な人物です。そのモデルとなった人物に日本人の血が流れていたと知って、ちょっと誇らしい気持ちになるのは私だけではないでしょう。

『カサブランカ』の魅力は名台詞と音楽

『カサブランカ』が時代性の強い作品でありながら、製作から八十年以上経った今も見るものに感動を与える名画であり続けているのは、粋な台詞の数々と、素晴らしい音楽のおかげです。

「君の瞳に乾杯」という高瀬鎮夫の名翻訳で知られるリックの台詞「Here's looking at you, kid.」は、この映画を代表する名台詞です。

なかなか口にするのが難しいキザな台詞ですが、リックは映画の中で何と四回もこの台詞を口にしています。そして同じ台詞なのですが、それぞれに異なるリックの思いが読み取れるのも、この台詞が名文句と言われる所以《ゆえん》なのかも知れません。

また、リックを追いかけるイボンヌという女性に対する、リックの冷たい受け答えも有名です。

「Where were you last night?／昨日の夜はどこにいたの？」

「That's so long ago, I don't remember.／そんな昔のことは覚えていない」

「Will I see you tonight?／今夜は会える？」

「I never make plans that far ahead.／そんな先のことはわからない」

これも男性の立場からすれば、一度は口にしてみたいと思うようなかっこいい台詞ですが、言われた女性はさぞ頭にくることでしょう。そう考えると、どちらも確かに名台詞ですが、私の人生で活用するチャンスはこの先もなさそうです。

音楽で最も印象深いのは、やはりリックとイルザの思い出の曲「As Time Goes By」でしょう。『カサブランカ』と言えば、真っ先にこの曲を思い出すという人も少なくありません。日本では「時の過ぎゆくままに」と翻訳されているタイトルですが、直訳すると「時が経っても」と、なります。リックとイルザにとっては、直訳のほうがしっくりくるように思います。

映画の中でこの曲は、ときに甘く、ときに切なく、アレンジされ、さまざまな場面で実に効果的に使われています。そのため、この映画のために作曲された曲だと思っている人も多いのですが、実はこの曲は一九三一年公開のブロードウェイミュージカル『Everybody's Welcome』のためにハーマン・フップフェルドが作詞作曲したものです。

しかし、なんと言っても、リックの相棒、サム役を演じたドーリー・ウィルソンの歌声がこの曲を一層素晴らしいものにしていることは間違いないでしょう。この映画を機にヒットしたのは、納得の結果です。

ちなみに、名台詞は使う機会に恵まれませんでしたが、「As Time Goes By」は、私の十八番としてカラオケではよくお世話になっている一曲です。

日活版カサブランカ『夜霧よ今夜も有難う』

日米開戦の翌年にアメリカで公開された『カサブランカ』は、日本では敗戦の翌年（一九四六）に公開されています。製作の背景には、すでに述べたように真珠湾攻撃を受けての日米開戦という事情があったものの、映画の中に日本が出てくることはなく、悪役はナチス・ドイツが一手に引き受けていたこともあって、『カサブランカ』が日本で反感を買うことはなく、むしろ名画として高い評価を受けています。

そして一九六七年には、日活がリメイク作品を製作しています。主演、石原裕次郎、ヒロインは浅丘ルリ子という、当時の日活ゴールデンコンビで製作された日活版『カサブランカ』のタイトルは、『夜霧よ今夜も有難う』。相棒ではなく、主人公自身がピアノを弾きながら歌う、タイトルと同名の主題歌は、「As Time Goes By」同様、今も多くの人に歌い継がれている名曲です。

『カサブランカ』のリメイクではありますが、『夜霧よ今夜も有難う』では、時代背景やキャラクター設定など、異なる点が数多くあります。その中で、今回改めて見直してみて興味深く感じたのは、ヒロインの秋子が主人公相良徹の前から姿を消した理由でした。

この「理由」は、主人公にとっては最後の決断を促すものであるとともに、観客に「ああ、そういう理由なら黙って姿を消しても仕方がない」と納得させるようなものでなければなりません。

結論から言うと、大きなくくりで見れば、イルザも秋子も「愛する人のためを思って」何も告げず姿を消すのですが、そこに至る具体的な理由が全く違うのです。そして、その違いは、どちらもそれぞれの時代の国民性を見事に象徴しているものだと私には思えたのです。

ここで敢えて「時代の」と言ったのは、今のアメリカ人や今の日本人が、これらの映画で用いられた理由に共感するかどうかというと、少し疑問を感じてしまったからです。『七人の侍』のところで、リメイク作品である『荒野の七人』との違いの一つとして、侍とガンマンの根本的な違いからラストの選択が違うものになったのではないかという話をしましたが、『カサブランカ』と『夜霧よ今夜も有難う』では、そうしたキャラクター設定の違いに加え、男女の恋愛における価値観の「時代に伴う変化」が感じられました。

恐らく、現今の日本で『カサブランカ』のリメイク版を製作したら、ヒロインはイルザとも秋子とも違う理由で姿を消すことになるのだと思います。よく映画は時代を映す鏡だと言いますが、リメイク版と見比べることで、そうしたものがよりはっきりと見えるというのは、非常に興味深い経験でした。

機会があれば、ぜひ『夜霧よ今夜も有難う』も合わせてご覧になっていただくと、また新たな感動体験ができると思います。

19/21

La vita è bella

『ライフ・イズ・ビューティフル』

ライフ・イズ・ビューティフル

これは「愛の物語」である

映画『ライフ・イズ・ビューティフル』は、一九九七年公開（日本公開は一九九九年）のイタリア映画です。製作年代は大きく異なりますが、物語の時代設定は、先に紹介した『カサブランカ』と同じ一九三九年から、ドイツが敗戦する一九四五年まで。舞台は、イタリア中西部のトスカーナ地方のアレッツォという街です。

主人公のグイド・オレフィチェというユダヤ系イタリア人の青年は、ホテルで働く叔父を頼って、友達のフェッルッチョと共に、この街に来ます。そこでグイドは、小学校の教師をするドーラと出会い、彼女に恋をします。

もともと陽気でお調子者のグイドは、一目惚れしたドーラに猛烈なアタックをするのですが、彼女には親が決めた婚約者がいました。それでもグイドは一途に思いを寄せるので、ドーラも次第に彼を愛するようになり、二人は結ばれます。

しかし、二人の間に授かった愛息ジョズエが五歳の誕生日を迎えた日に、親子はナチス・ドイツによって強制収容所に送られてしまいます。母親と引き離され、不安を感じるジョズエに、グイドは、「これはゲームなんだ。勝ったらお前の大好きな戦車に乗って家に帰れるよ」と嘘をつきます。

そしてグイドは、絶望的な強制収容所でも、息子が恐怖を感じることがないように、すべてをゲームと思わせる嘘を持ち前のユーモアを駆使してつき続けるのでした。

この映画の監督・脚本・主演を一人でこなしたのは、イタリアのコメディアンでもある俳優のロベルト・ベニーニ。舞台となったトスカーナ地方は彼の出身地です。

グイドが恋するドーラは、ベニーニの妻でもある女優のニコレッタ・ブラスキが演じています。そして、愛くるしいジョズエを演じたのは、当時五歳のジョルジョ・カンタリーニ。この作品で映画デビューを果たしたジョルジョは、その後、本書でも紹介した『グラディエーター』で、主人公マキシマスの息子役を演じています。

この作品は、ホロコースト映画の一つとして紹介される場合がありますが、ベニーニはインタビューの中で、「この映画は愛の物語だ」とはっきり語っています。そして、その言葉どおり、この映画は、前半がグイドとドーラというカップルのラブストーリー、後半がジョズエを加えた親子三人の家族愛の物語という構成になっています。

そのためホロコースト映画だと思ってこの映画を見ると、前半のグイドの恋物語の部分を冗長に感じるかも知れません。

しかし、グイドがなぜ強制収容所での絶望的な生活の中で、ユーモアと愛に満ちた嘘を貫き通すことができたのか、彼の強靭な精神力を支えていたものを理解する上で、前半の恋物語は、欠くことのできない意味を持っているのです。

さらにベニーニは、「最良のメッセージは美しい作品を作ることだ」と語っていますが、この作品は、前半と後半の色彩のコントラストがとても印象的です。前半は鮮やかな色彩に満ちた明るさがあるのに対し、後半はモノトーンかと錯覚するような暗さに満ちています。しかし、その暗さは、絶望や恐怖を感じさせるものではなく、むしろ微かな希望や愛を浮かび上がらせるための暗さとして効果を発揮しているのです。この美しい映像を撮影したのは、『ワンス・アポン・ア・タイム・イン・アメリカ』（一九八四）や『薔薇の名前』の撮影監督を務めたトニーノ・デリ・コリ。本作は、彼の最後の映画作品です。

ホロコーストの背景「ユダヤ人差別」

物語の舞台となったトスカーナ地方は、イタリア半島の中西部に位置し、ローマとフィレンツェのちょうど中間あたりに位置しています。ここはイタリア半島の中でも気候が穏やかで実り豊かな場所です。豊かな土地はいつの時代でも人々が求める場所です。イタリア半島において、古代にローマ人より早くエトルリア人が住み着いたのも、このトスカーナ地方でした。ローマ人は、「トゥスキー／Tusci」と呼ぶ彼らを併合することで、この地をローマの一部としたのです。アレッツオはそのトスカーナ地方の中で、最も内陸部に位置し、古代エトルリア時代から主要都市の一つとして栄えた非常に歴史の古い町です。グイドの友人フェッルッチョは詩人で、映画の中には十四世紀のイタリアの詩人ペトラルカの名前が出てきますが、アレッツォはペトラルカの故郷としても知られています。

グイドとドーラはこの歴史ある美しい街で出会い、結ばれ、子供を授かります。そんな映画の前半は、とても『カサブランカ』と同じ時代のヨーロッパとは思えないほど穏やかな日常が描かれています。しかし、一見穏やかに見える日常の風景の中にも、少しずつユダヤ人に対する迫害の様子が広がっていきます。

ナチス・ドイツによるユダヤ人大量殺戮《さつりく》「ホロコースト」は、世界中の人々が知る人類史上最悪の惨劇です。これを指導したのがヒトラーという狂気の独裁者であることは誰もが知る事実ですが、彼の狂気を組織的に計画立案し、実行に移したのは、ごく普通の人々でした。なぜ彼らは、ユダヤ人は「劣等民族」であり、「絶滅」させる必要があるというヒトラーの言葉を受け入れてしまったのでしょう。

残念ながら、これはここで簡単に考察できるような問題ではないので、敢えて論じませんが、一つだけ知っておいて欲しいのが、ヨーロッパには古くからこの狂気を醸成する土壌となり得た「ユダヤ人に対する差別意識」が存在していたということです。

皆さんはシェイクスピアの『ヴェニスの商人』という戯曲をご存じでしょう。ユダヤ人の悪徳な高利貸しシャイロックが、借金のかたにアントーニオに彼自身の「肉一ポンド」を要求するという話です。十四世紀のイタリアのヴェニスを舞台としたこの話では、ユダヤ人のシャイロックは、卑劣で強欲な人物として描かれています。

しかしこの物語の描かれざる背景に、十四世紀のヨーロッパでは、数度にわたる宗教会議の結果、ユダヤ人は公職はもちろん、さまざまな職業から排除されて人々に卑しまれる金貸し業ぐらいしか営める職業がなかった、という事実が隠されているのです。そして、こうした中世ヨーロッパで確立されたユダヤ人差別は、宗教改革後も受け継がれていったのです。事実、この物語の作者であるシェイクスピアはエリザベス一世の時代、つまり十六世紀の作家です。

こうした状況に改善が見られたのは、十九世紀に入ってからです。その先陣を切ったのは一七九一年にフランス国民議会が、忠誠を誓ったユダヤ人に市民権を付与したことでした。これを機に、一八三〇年にはギリシアで、一八五八年にはイギリスで、一八七〇年にはイタリアで、さらに一八七一年にはドイツでも、ユダヤ人に対する法律上の差別が撤廃され、「法的には」解放が進んでいきました。

しかし、現在のアメリカで黒人差別が根絶されていないのと同じように、実社会では依然として反ユダヤ主義や差別意識を持つものが存在し続けていたのです。

ファシズムとナチズム

もう一つ、この時代のイタリアを理解するために知っておいていただきたいのは、混同されることの多い、イタリアの「ファシズム」とナチス・ドイツの「ナチズム」は、似て非なるものだということです。

ファシズムの語源となったラテン語の「ファスケス／fasces」というのは、古代ローマのコンスルなど高位の公職者に付き従ったリクトルと呼ばれる護衛が持っていた、木の棒の周りに斧を束ねたものです。権力者が街などを歩くとき、ファスケスを持った護衛が先導したことから、やがてファスケスそのものが「権力の象徴」としての意味を持つようになったのです。したがって、日本語では「全体主義」と翻訳されることが多いファシズムですが、その本質は「権威主義」だと言えます。

ですから「ファシズム」という思想自体は、ベニート・ムッソリーニがファシスト党を率いたことから名付けられたものですが、本質的にはファシズムというのは古代からあったものであり、今後も復活する可能性のあるものだと言えます。実際、今のロシアのプーチン政権に対し、あれはロシア的なファシズムだとか、プーチンはファシストだ、といった言い方をする人もいます。

そうしたファシズムに対しナチズムは、ファシズムを母体に、極端な反ユダヤ主義を取り込んで生まれた「変異種」のようなものだと言えるでしょう。

ムッソリーニにもファシズムにも、もともとは人種政策はありませんでした。イタリアで「人種法（イタリア人種の保護のための措置）」が制定されるのは一九三八年、これは一九三六年のエチオピア併合によって、国際連盟の制裁を受け脱退したことと、スペイン内戦でドイツと共にフランコの国民軍を支援したことで、ナチス・ドイツとの提携が深まったことがきっかけでした。

そうはいってもどちらも「独裁主義」ではないか、と思われるかも知れません。でも、ナチズムの独裁とファシズムの独裁にも違いがあるのです。

ヒトラーは、早い段階から独裁を目指し、法を悪用し計画的に独裁を推し進めていきましたが、ムッソリーニは、最初から独裁を目指していたわけではありませんでした。事実、ムッソリーニは「ドゥーチェ／Duce」という呼称を好みましたが、これは「親分」とか「指導者」を意味するもので、そこに独裁的意味はありません。

そんなムッソリーニが独裁者と言われるようになったのは、よく言えば臨機応変に、悪く言えば場当たり的に、現実に即した対応をしていった結果なのです。

ムッソリーニが目指したのはローマ帝国の再生

ファシズムというと、反共産主義、反社会主義が特徴の一つにあげられるので意外に思われるかも知れませんが、若き日のムッソリーニは、社会主義者として戦争反対の立場をとっていました。そんなムッソリーニが名をあげたきっかけは、第一次世界大戦が起きたときに、熱心に参戦運動を行い、自らも従軍したことでした。

実はムッソリーニは、こうした一見すると矛盾と思える選択をその生涯にわたって繰り返しています。それは彼が、理想は理想として持ちながら、その場その場で現実的な選択をするタイプの人間だったからだと考えられます。

ムッソリーニが目指していた理想、それは「ローマ帝国の再生」でした。

ローマ帝国崩壊以降、イタリアは長い間、小さな都市国家として生きていました。国民国家として統一されたのは十九世紀半ば、これは明治維新とほぼ同時期で、フランスやイギリスと比べると一～二世紀も遅れていました。この間に世界の植民地化は進み、もはや世界にイタリアが手に入れることのできる領土は残っていないかに見えました。それでも一八九六年、統一後間もないイタリア王国は、植民地獲得を目指してエチオピアに侵攻します。しかし結果は、あえなくエチオピア軍に敗退してしまったのでした。

そうした中、イタリアに領土獲得のチャンスが巡ってきます。第一次世界大戦の勃発です。この典型的な帝国主義戦争に参加し、うまく勝ち馬に乗ることができれば、新たな領土を獲得し、ローマ帝国再生の足がかりとすることができるのではないか。これこそが、ムッソリーニが反戦から参戦に身を翻した理由でした。

しかし、戦勝国の一角に食い込んだものの、英仏は参戦時に約束していた「未回収のイタリア」と言われたフィウメの領有を認めませんでした。

ムッソリーニが社会党と手を切り、かつての兵士たちを集め「イタリア戦闘ファッショ」を組織し政権奪取に乗り出すのは、こうしたヴェルサイユ体制に対する不満と、戦後不況で国内に不満が鬱積しているのを見て取ったからでした。

一九二二年、ムッソリーニは私設の軍隊「黒シャツ隊」による「ローマ進軍」を決行し、国王に組閣を認めさせます。なぜローマ進軍が政権奪取に結びつくのかというと、これも一言で言うなら古代ローマの権力者、スッラやカエサルに倣《なら》った伝統なのです。

こうしてムッソリーニは政権を取ったわけですが、この時点ではまだ独裁ではなく、ファシスト党以外からも閣僚を任命し、連立内閣を維持しています。

先ほどムッソリーニは、ローマ帝国の再生を目指したと言いましたが、この時点の彼がイメージしていたのは、すでに大国となったローマ帝国ではなく、国内では「共和政」の伝統を守りながら、対外的には鍛え上げた軍隊で周辺諸国を制圧していく「軍国主義」をとることで領土を拡大していった成長期の古代ローマだったのでしょう。私は、この約五百年に及ぶ共和政ローマを表現するのに、「共和政ファシズム」という言葉を用いていますが、前述したように、ファシズムという言葉はナチズムや独裁政治と同一視されることが多く、批判されることもあります。

誤解のないように説明しますが、基本的にローマ人は独裁者が嫌いです。ですから、独裁者が生まれないようにすることで共和政の伝統を守っていました。しかし、ローマ人は同時に、非常時における独裁者の有効性も理解していました。非常時には、素早い判断と指揮系統の一本化を可能にする独裁は、国家にとって大きなメリットとなります。

そこでローマ人は、平時はコンスル二名が交代で政権を担う「同僚制」を敷き、非常時には半年間限定で独裁官に全権を委ねるということをしていました。

ファシスト党は、このローマの伝統を利用して、今は非常時であると印象づけ、ムッソリーニの独裁へと舵《かじ》を切っていったのです。この後、ムッソリーニ政権はナチス・ドイツと手を結んだことで、人種法の制定など暴走していくことになるわけですが、私は、問題の根本は独裁そのものではなく、古代ローマに存在していた独裁に対するブレーキを設けることを、イタリア人が忘れていたことだと思っています。

そのブレーキとは「護民官」です。護民官の仕事はその名の通り「民を護ること」でした。護民官は権力者が民に非道なことをした場合、それを止めることができる唯一の役職でした。なぜなら、護民官に対しては何人たりとも手出しができないことが定められていたからです。

変化するファシスト政権下のユダヤ人政策

もともとファシスト党の支持者にはユダヤ系の人々が多く、ムッソリーニの側近や軍の幹部など政権内部に、多くのユダヤ人が参加していました。そのため、むしろこの時期には、ユダヤ人の自由を保障する法律の制定が積極的に行われていました。

その政策が転換されるターニングポイントとなったのは、先にも触れたとおり、エチオピアの併合でした。侵略による一方的な併合は、国際社会の非難を招き、イタリアは国際連盟脱退を余儀なくされます。それでもムッソリーニがエチオピア併合を強行したのは、かつて併合に失敗した因縁の地であるエチオピアを併合することが、ローマ帝国再生の第一歩になると考えたからでした。その証拠に、ムッソリーニは、地中海をローマ帝国時代の呼称「マレ・ノストルム／われらの海」と呼ぶことにこだわっていたといいます。

映画の中で、ドーラと親の決めた相手との婚約パーティーのシーンに、ダチョウの飾りが載ったエチオピアケーキなるものが登場しますが、こうした時代背景を知ると、なぜあそこで人々がエチオピアケーキに喝采するのかがわかります。

その後イタリアは、スペイン内戦でフランコのファシスト政権をともに支援したことで、ナチス・ドイツとの距離を縮め、一九三六年にはベルリン・ローマ枢軸を成立させ、さらにその翌年には日独伊三国防共協定を結んで、結束を深めています。

ナチス・ドイツの影響を受け、一九三八年に人種法が制定されると、イタリア国内のユダヤ人はすべて、たとえ政権幹部であっても公職から追放されました。さらに工場や商店の経営者はその権利を剝奪され、子供たちは学校を退学させられ、午後六時以降の外出が禁じられました。過酷ですが、それでも当時の他のヨーロッパ諸国と比べると、イタリアのユダヤ人政策はゆるく、ナチス・ドイツは取り締まりの強化を求めていたとされています。

当時イタリアに居住していたユダヤ人の数は、約四万八〇〇〇人。ユダヤ人政策が方向転換したことで裕福なユダヤ人は国外に逃れた人々もいましたが、ユダヤ人の多くは貧しく、危機感を抱えながらも国内で息を潜めるように生活するしかありませんでした。

ナチス・ドイツのポーランド侵攻によって第二次世界大戦が始まると、ドイツは急速に周辺国を征服し、その領土を広げていきました。イタリアもギリシアやエジプトに侵攻しますが、そのいずれでも劣勢を強いられ、ナチス・ドイツの援護に助けられるという醜態を晒してしまいます。これは、イタリアには工芸品など小さな企業が多く、ドイツや日本と比べても重化学工業の発展が遅れていたことが原因でした。

ドイツ軍に押され、ヨーロッパ大陸から追われていた連合国軍は、こうした状況を見逃さず、シチリア島から南イタリアへ侵攻。度重なる敗戦によって、ムッソリーニに対する信頼をなくしていたイタリア王国は、ムッソリーニを引きずり下ろし、一九四三年九月、連合国と休戦協定を結び枢軸国から離脱します。

しかし、イタリア軍の動きを察知していたナチス・ドイツは、ローマ以北の北イタリアをいち早く武力制圧し、軟禁されていたムッソリーニを救出し、イタリア社会共和国を建国させたのでした。当時のムッソリーニはすでに胃がんを患っており、イタリア社会共和国と言っても、実際はナチス・ドイツの占領下に置かれたのと同じでした。

イタリアにおけるホロコーストはここから始まります。

ナチス・ドイツは、一九四二年一月のヴァンゼー会議ですでにユダヤ人問題の最終解決方法として絶滅計画を決定し、絶滅収容所での大量殺戮が執行されていました。つまり、イタリアのユダヤ人たちは、最初から助かる可能性のない絶滅収容所に送られたのです。

映画だからこそ描けた絶望の中の希望

この映画には、ガス室や遺体の焼却を想像させる台詞や映像はあるものの、大量に積まれた遺体のような、ホロコースト特有の惨《むご》たらしい場面は出てきません。グイドたちが送られた収容所がどこなのかも明確にはされていません。

十四歳のときにアウシュビッツ・ビルケナウ強制収容所に送られながら生還した経験を持つ、イタリアの終身上院議員リリアナ・セグレ氏は、この映画について、「あの場所に夢などありませんし、家族のドラマなんてありません」「強制収容所であり得たこと、可能だったことは死だけでした。あの映画の中で事実と呼べるのはそれだけです」と語っています。

実際にあの場所を経験し、その経験を人々に語ることを生き残った人間の使命として行ってきた彼女のこの言葉は真実でしょう。

『ライフ・イズ・ビューティフル』はフィクションであり、セグレ氏が言うように、真実とはほど遠い「おとぎ話」です。

ホロコースト生存者の高齢化が進み、真実を知るものがゼロに近づきつつある今、語り部をしてきた彼女が、この映画を見た人が、特に戦争を知らない子供たちが、ホロコーストはこういうものだったのだと思ってしまうのではないかという危惧を抱く気持ちもよくわかります。

でも私は、映画というのは、歴史書ではないのだから、「おとぎ話」であってもいいと思うのです。歴史を題材にした作品は、映画に限らずテレビドラマでも小説でも、すべてフィクションの要素を含んでいます。

かつてロシアの文豪トルストイは、「歴史家は、誰も興味が無く、質問すらしないようなことを勝手に述べているに過ぎない」と批判し、「多くの人に読んで貰える歴史というのはこうやって書くのだ」として『戦争と平和』という作品を書き上げました。

『戦争と平和』は歴史小説の最高傑作と言ってもいい作品です。これまで多くの人の心に気づきと感動を与えた作品の力は、この作品が書かれてから百年以上経った今も変わりません。

それは、『戦争と平和』が歴史の真実ではなく、人間の真実を捉えた作品だからなのだと思います。歴史の真実という意味では、『戦争と平和』もフィクションに過ぎません。

『ライフ・イズ・ビューティフル』は、確かに歴史の真実にはほど遠いおとぎ話ですが、見る者に感動を与えるのは、この作品が、やはり人間の真実の一片を捉えた作品なのだからだと思います。ベニーニが尊敬してやまないフェリーニ監督も、「良くできたフィクションには、事実以上の真実がある」と言っています。それは人間に感動を与えるからであって、感動こそが真実だからです。

中でも、悲しくも美しいラストシーンは、私に大きな感動をもたらしてくれました。それは、人はどんなに過酷な環境の中でも、どんなに悲しい状況であっても、生きるということに関しては、絶望ではなく希望を見出さなければならないし、少なくとも親は子供に対してそうしなくてはいけないというメッセージです。

真実の経験だからこそ伝えられるものがある一方で、良質なフィクションだからこそ伝えられる真実というものもあるのではないか、と私は思うのです。

現代

20／21

活着

『活きる』

活きる

本国では未公開の名作映画

『活きる』は、一九九四年に公開された（日本公開は二〇〇二年）中国映画ですが、中国国内で公開されたのは特別行政区である香港だけで、中国本国では政治的理由から現在も未公開のままとなっている作品です。

監督は現代中国を代表するチャン・イーモウ（張芸謀）。彼は、一九八七年の監督デビュー作『紅いコーリャン』以降、『菊豆／チュイトウ』（一九九〇）、『紅夢』（一九九一）と、一九二〇年代から一九三〇年代の中国を舞台とした作品を撮り、世界的にも高い評価を受けていました。そんな張芸謀が、『紅いコーリャン』以来の公私にわたるパートナーであった鞏俐（コン・リー）とともに挑んだのが、一九四〇年代から一九六〇年代という毛沢東時代の中国を舞台とした『活きる』でした。

原作は余華（ユイ・ホア）の同名小説『活きる／活着』（角川書店）ですが、実はこの小説は映画化にあたってかなり大規模な改作が施されています。

もともとの余華の小説『活きる』は、一九九二年に上海の文芸雑誌『収穫』に発表された七万字ほどの中編小説でした。それが、映画化が決まったことで、内容を膨らませる必要が生じ、余華がシナリオ作成に参加する形で、ストーリーの骨格は変えずに、約一二万字の長編小説に生まれ変わったのです。

映画『活きる』は、この改作された小説『活きる』をベースにしてはいるのですが、そこからさらに多くの変更やオリジナル設定を加え、新たな作品に仕上がっています。

物語は一九四〇年代の中国。主人公は、中国地方都市の財産家の若旦那・富貴（フークイ）。彼は、妻の家珍（チアチェン）の制止を歯牙《しが》にもかけず、連日賭場に入り浸っていました。父親が叱りつけても効果はありません。なぜなら、この父親も若い頃賭博にはまって家財を半分に減らしてしまっていたからです。むしろ富貴は、「どうせ大馬鹿者の息子だから」と悪態をつく始末です。

手持ちのお金が尽きても、富貴は家屋敷を担保に博打《ばくち》を続けます。そんな富貴を何とか止めようと、家珍は身重の体をおして賭場に乗り込み、家に戻るよう懇願しますが、富貴は聞き入れません。その結果、家珍は娘の鳳霞（フォンシア）を連れて実家に戻ってしまいます。そして富貴は、とうとう担保を使い果たし、賭けの相手である龍二（ロンアル）に全てを奪われてしまいます。

富貴が一文無しになったショックで父親は憤死、母親は病に倒れ、失意の富貴は、わずかばかり残った母親の宝石を売って貧しいあばら屋を借り、移り住みます。

そこに、男の子を産んだ家珍が戻ります。自らの行いを悔いた富貴は、龍二に頭を下げてお金を借りに行きますが、龍二は「貧乏は金では救えない」と言って、持っていた影絵の道具を貸し、劇団を作って日々の生活手段とすることを勧めます。

賭場で働いていた春生（チュンション）らと小さな劇団を作り、やっと真面目に働き始めた富貴でしたが、巡業途中、運悪く国民党軍の兵隊狩りに捕まり、そのまま戦場に連行されてしまいます。

国共内戦の悲惨な戦場を春生とともに何とか生き抜いた富貴は、解放軍の捕虜となりますが、そこでは影絵が役に立ち、雑役兵としてしばらく従軍したのち、ようやく解放され家に戻ることができたのでした。

しかし、久しぶりに戻った家ではいろいろなことが変わっていました。家珍は富貴の帰還を喜びますが、老母はすでに亡く、娘は病のため口がきけなくなっていたのです。それだけではありません、共産党支配のもと、生活も大きく変わっていたのでした。

国共内戦

映画に登場する「国共内戦」は、正確には第二次国共内戦と言われるもので、日中戦争終結後の中国で、一九四六年から一九四九年まで繰り広げられた、毛沢東率いる共産党軍

＝解放軍と蔣介石《しょうかいせき》率いる国民党軍の戦いです。

中国では一九一一年の辛亥《しんがい》革命によって清王朝が倒れた後、孫文《そんぶん》指導の下、共和制国家「中華民国」が建国されました（一九一二年一月建国）。しかし、当時の政府には中国全土に共和制を敷く力はなく、孫文の後を継いだ袁世凱《えんせいがい》のもと、国内は軍閥抗争の激化によって混迷を深めることとなっていきます。

第一次世界大戦後の一九一九年、孫文は五・四運動など民族運動の活発化を受けて、より大衆的な政党を目指して新たに「中国国民党」を結成、その一方で、数は少ないながらも国際共産主義組織コミンテルンの指導の下、「中国共産党」も一九二一年に結党し、両党は軍閥や北京政府に対抗する形で共闘するため「国共合作」を成立させました。

しかし、一九二五年に孫文が亡くなると、後を継いだ蔣介石と共産党の間で軋轢《あつれき》が生じ、一九二七年四月の上海クーデターを機に第一次国共合作は破綻《はたん》、両党は第一次国共内戦へと突入していきました。

相争う国民党と共産党でしたが、日中戦争の勃発により、一九三七年、両党は再び手を結びます（第二次国共合作）。しかしこれも、一九四五年に日本の敗戦が決まったことで再び破綻、両党はまたも内戦に突入していったのです。これが映画に登場する第二次国共内戦です。

この戦いは、当初はアメリカの支援を得た国民党が圧倒的優位を示していました。兵力も兵器も劣る共産党は、次第に追い詰められていきます。

そんな追い詰められた共産党が向かったのは、日本軍が撤退した後に、ソ連軍が侵入していた中国東北部（旧満州）でした。この地で共産党は、ソ連軍が日本軍から奪った武器の供与を受けるとともに、残留日本人を徴兵することで兵力を補い軍を立て直します。

同時に共産党は、支配地域で地主から取りあげた土地を貧農や小作人に分配することで、国内で圧倒的多数を占めていた貧しい人々の支持を拡大していきました。その一方で、国民党政府は、苦しい財政状況の中「法幣（政府系銀行が発行した銀行券）」を乱発してきたツケがたまり、激しいインフレーションを招き、民衆の支持を失い始めていました。

こうして武器と民衆の支持を得た共産党は、一九四八年に行われた「三大戦役（遼瀋《りようしん》戦役《せんえき》、淮海《わいかい》戦役、平津《へいしん》戦役）」に勝利、翌一九四九年一月には、北京に無血入城を果たします。さらに四月には国民党政府の首都である南京を掌握し、十月には北京でこれまでの戦いを指導してきた毛沢東を国家主席とする共産主義国家「中華人民共和国」の樹立を宣言したのでした。

戦いに敗れた国民党・蔣介石は、台湾に逃れると再び総統に復帰し、中華民国の存続を主張。両政府は冷戦状態へと突入していくことになります。

悲惨を極めた大躍進時代

中国共産党が「台湾解放」と言いながらも、すぐに台湾を攻めなかったのは、解決すべき国内問題が山積していたからでした。絶え間ない戦争で国土は疲弊し、朝鮮半島では新たに朝鮮戦争が始まっていました。

三年にわたる朝鮮戦争の休戦が決まった一九五三年、毛沢東はようやく腰を据えて国内問題の解決に向けて動き出します。

中国はソヴィエト政府に倣《なら》い、地主や資本家の一掃に着手していましたが、国家の実態は依然として貧しい農業国のままでした。そこで、富国強兵を目指して毛沢東が一九五八年に「大躍進政策」打ち出します。

大躍進政策の柱は二つ。一つは鉄鋼の増産、もう一つは農業の集団化でした。

毛沢東は、「十五年以内にアメリカ、イギリスに追いつく」と豪語して政策を推し進めますが、結果的には国民生活をより苦しいものに追いこむことになってしまいます。

『活きる』では、鉄鋼の増産を強いられた人々が、家中の鉄製品を供出させられ、それを村人総出で簡易な炉で夜通し火を炊き鋼鉄を作るというシーンがあります。煮炊きに必要不可欠な鍋釜まで供出させられた人々は、新たに創設された「人民食堂」で食事をとることなるのですが、こうした集団生活の基礎になっていたのが「人民公社」という組織でした。共産主義の名のもとに、私有財産を一切認めない集団生活が実施されたのです。

映画では、村人たちができた鋼鉄を前に、「これで砲弾を作り、蔣介石に撃ち込んでやるんだ」と息を巻きますが、製鉄に関する知識を持たない素人の溶鋼で良質な鉄鋼が作れるはずもなく、できたのは使い物にならない粗悪な鉄ばかりでした。

しかも、この鋼鉄作りの際に、富貴の一家は息子の死という大きな悲劇に見舞われます。

ちなみに、映画では農業の集団化が強いられた農村の様子は描かれていませんが、原作の小説では、財産を失った富貴が農民として生きていくという設定なので、大躍進時代の農村の悲惨な様子が詳しく述べられています。

この時代の農村では、単なる集団農業だけではなく、生産力増進のためと称して密植と害獣と考えられたスズメの駆除が敢行されました。しかし、密植は植物の育成を阻害し、スズメの駆除は作物を食い荒らす虫の大量発生を招き、生産量が増えるどころか極端な不作となってしまったのです。さらにその不作に、溶鋼のための燃料として山の木が大量に伐採されたことで、各地で大洪水や山崩れ、干ばつが頻発したのです。

ところが、農村がこれほど悲惨な状況になっていたにもかかわらず、人民公社の役人たちは、政府に豊作だと申告してしまいます。毛沢東肝いりの政策の成果が出ていないと報告し、自らが粛清されるのを恐れたからでした。

豊作の報告を受けた政府は、国家への納入分を増やすよう命じ、農村は飢餓状態に陥ります。こうなって初めて共産党は、大躍進政策の失敗を認め、一九五九年、ついに毛沢東は、国家主席の座を降り、第一線を退きます。

新たに国家主席の座に就いた劉少奇《りゅうしょうき》は鄧小平《とうしょうへい》とともに、集団農業にこだわるのをやめ、請負耕作や生産物の自由販売を認めることで、農業生産力の回復と経済の再建を目指しました。

しかし、荒廃した環境はすぐには元に戻らず、一九五九年から一九六一年のわずか三年間に、中国全土で約一五〇〇万～五五〇〇万人もの膨大な餓死者を出すことになったのでした。

文化大革命の不条理

国家主席は劉少奇に譲ったものの党主席の座には就き続けていた毛沢東は、中国経済が回復した一九六〇年代半ば、劉少奇・鄧小平らが進める現実路線に対し批判を始めます。

「現在の党司令部は資本主義に走った裏切り者（走資派）が幅をきかせている」

こうした毛沢東の言葉にいち早く賛同したのが、北京の大学生たちでした。

劉少奇は、学生たちの過激な行動を押さえようとしますが、毛沢東はこれを「学生運動の弾圧は蔣介石と同じだ」となじり、学生擁護の立場を示します。熱狂した学生たちの運動は北京から全国へ、大学生から中高生へと広がっていきました。

毛沢東はこの機を逃さず、「四旧打破」というスローガンのもと「プロレタリア文化大革命」を推進します。ここで言う「四旧」とは、「旧い思想」「旧い文化」「旧い風俗」「旧い習慣」のことで、これらは全てプロレタリアに対する搾取の象徴と見なされたのです。文化大革命の時代に、中国の古典や伝統文化、歴史的建築物の破壊が狂信的に行われたのはこのためでした。

こうした文化大革命を実行したのが、「紅衛兵《こうえいへい》」と呼ばれた毛沢東を熱狂的に支持した学生たちでした。彼らの活動実態は非常に暴力的なもので、全国各地で改革を推進した共産党関係者や知識人、かつての富裕層出身者の多くが、ほとんど根拠もないまま、「走資派」や「反動的」と見なされ粛清されていったのです。

このとき紅衛兵の暴力行為を「プロレタリア階級の正統な行動だ」と擁護し、拍車をかけたのは、軍部と強力なコネクションを築いていた毛沢東の腹心、林彪《りんぴょう》でした。

一九六八年、劉少奇は国家主席を解任されたうえ共産党を除名され、鄧小平も役職を解任され失脚します。

権力の座に復帰した毛沢東は、事態の収束を目指しますが、文化大革命の嵐はもはや毛沢東にもコントロールできないところまで広がってしまっていました。そしてこの嵐は、毛沢東が亡くなる一九七六年まで形を変えつつも続くことになります。

映画では、富貴の一家がこの文化大革命の最中、再び悲劇に見舞われます。医者が知識人だという理由で反革命分子として糾弾されていたため、お産した娘が適切な医療を受けられず亡くなってしまうのです。

現在の若者たちは、こうした当時の様子に驚くことと思います。

しかし、一九七〇年代前半に学生時代を過ごした私に言わせれば、当時は世界中の学生たちが、共産主義や社会主義に対し一種の希望や理想のようなものを見出していたことも事実なのです。

映画の中で、娘の結婚式にみんなが赤い表紙の『毛沢東語録』を手にしていますが、日本でも当時の学生の多くが、翻訳されたあの赤い表紙の本を持っていたのです。私自身、はっきりした記憶はないのですが、あるいは持っていたかも知れません。そんないい加減な……、と思われるかも知れませんが、要は、当時の大学生にとっては、共産主義や社会主義というのは、理想に燃える若者のなかで少しばかり思想をかじった連中が一度はアタックを試みる美しそうな女性のようなものだったのです。

もちろん中には、深く賛同し、実行を目指すものもいました。当時の日本で「赤軍派」を名乗り過激な行動をとる連中が出てきた背景には、そうしたものを生み出す空気が社会に存在していた、ということなのです。

民主主義の問題、独裁の問題

日本人の多くは民主主義を信奉しているので、この映画を見たとき、「やはり社会主義はダメだ、独裁はダメだ」と思うかも知れません。

しかし、民主主義にも問題がないわけではありません。その一つが「数の問題」です。ここでいう数とは、具体的に言うなら「人口」のことです。

ギリシアのアテナイで最初に民主主義が誕生したとき、それは直接民主政でした。直接民主政は、全アテナイ市民が参加するわけですから、文字通り全員の意見が反映されるので、ある意味最も民主的な政治だと言えます。

でも、それが可能だったのは、全市民の総数がせいぜい数万人規模だったからです。

それでも、うまくいっていたのは当初だけで、次第に意見がまとまらなくなっていき、収拾がつかなくなっていきます。実際、プラトンやアリストテレスは、民主主義は衆愚政治を招くとして賛成していないのです。

こうした問題を解決するために生まれたのが、全体から代表を選出して、代表たちが議論する間接民主政です。現在の民主主義国家は、ほとんどがこの間接民主政を採用しているわけですが、人口が増えればそれだけ代表の数も増えるので、意見がまとまりにくくなるという問題は、どうしても人口に比例して生じてしまいます。

では、人類はこの「意見がまとまらない」という問題にどのような対処をしてきたのかというと、それこそが歴史に繰り返し登場する「独裁」なのです。

独裁か民主主義か、どちらが人々は幸せなのかという問いは、人類が繰り返し考えてきたものですが、ドストエフスキーは『カラマーゾフの兄弟』という作品の中で非常に興味深い考察をしています。

それは「大審問官」という挿話の中に登場するのですが、要は、世の中の大部分の人々というのは、日々の食事ができて、戦争がなくて、穏やかに暮らせればそれで良く、それが実現できるのであれば、トップが独裁者であろうがなかろうがどちらでもいいというのです。これは、ドストエフスキーによる社会主義思想の肯定でもあるのですが、ソ連でも中国でも、現実においてそれを実現しようとした結果は失敗に終わっています。ただ、例外的ではありますが、キューバのような比較的人口の少ない温暖な地域では、社会主義がうまくいったと言える例も存在しています。

では独裁はどうでしょう。

これも実際には非常に難しいことではあるのですが、人々に独裁を感じさせないぐらい見識を持った独裁者であれば、独裁はかなりの成功を収める可能性があるのです。見識ある独裁者など聞いたことがないと言われるかも知れませんが、ローマで「五賢帝」と謳われる五人の名君は全て独裁者です。

ただし、一言で「独裁者」と言っても、本当に全てを自分一人で決めていたわけではなく、彼らは周囲のいろいろな人々の意見を聞いた上で、できるだけ多くの人々が不満を抱かないような判断を自ら下しているのです。

そして、その中でも最もこれをうまくやってのけたのが、五賢帝の中で四番目に帝位に就いたアントニヌス・ピウス（在位一三八〜一六一）だと私は考えています。

実は彼は五賢帝の中で最も知られていない皇帝です。なぜなら、彼の二十三年間の治世にはほとんど歴史がないからです。

歴史がないというのは、何も記すべき出来事が起きていないということです。特別な功績もないのですが、戦争も悪いことも何も起きていないのです。では、何もしていないのかというと、そうではありません。なぜなら、彼が亡くなったとき、国庫にはローマ史上最大の資産が残っていたからです。

毛沢東は「建国の父」と謳われる現代中国の国家的英雄ですが、アントニヌス・ピウスを知る私は、歴史に名を残した為政者が本当の意味での名君だったとは限らないと思うのです。

中国の体質

この映画で、富貴の家族に生じる悲劇は、無謀な政策と深く関係しています。もしも大躍進政策がなければ息子は死なず、もしも文化大革命がなければ娘も死なずに済んだかもしれないからです。

しかし、富貴も家珍もそうした恨《うら》み言は一切口にしません。彼らが悔やむのは、「自分があのとき○○しなければ」、あるいは、「自分があのとき○○していれば」ということだけなのです。

なぜ彼らは政府の失政を責めずに自分を責めるのでしょう。

私は、この一見すると運命を黙って受け入れ、日々をただ懸命に生き続ける善良な家族の姿に、中国人の心に深く根ざした「体質的問題」があるように思えてならないのです。

それは、二十世紀初頭に活躍した中国人作家・魯迅《ろじん》が、中国人が抱える治すべき「精神の病」と断じたものでもあります。

私は拙著『20の古典で読み解く世界史』で、魯迅の『阿Q正伝』を取り上げこの問題に触れたことがあるので、詳しくはそちらに譲りますが、魯迅は医学を学ぶために官費留学生として日本に来ていたとき、たまたま目にした一枚のスライドによって、この問題に気づいたと述べています。

このときのスライドに映っていたのは、スパイ容疑をかけられ、後ろ手に縛られた一人の男を、無表情で取り囲む同胞たちの姿でした。

魯迅は、このことを当時上海で書店を経営していた内山完造に次のように語ったと言います。

志那四億人の人間の罹っている病気がある。それは名付けて馬々虎々（マアマアフウフウ）と言う。この病を治すにあらざれば志那を救うことは出来ない。全日本を排斥するとも日本人の持って居る真面目だけは学ばねばならん。この薬以外に薬はないのだ。

（『魯迅の思い出』内山完造／社会思想社）

「ママアフウフウ」とは、はっきりさせてはいけない、いい加減にしておけという意味で、善悪をはっきりさせることなく、その場しのぎの誤魔化しを深く考えずに受け入れてしまう中国人の体質を指摘しています。

そして、このことに気づいた魯迅は、中国人は身体を治すことよりも、精神を改造することのほうが急務だとして、その手段として文芸の道に進んでいったのです。

魯迅の『阿Q正伝』は、ごく簡単に言うと、無知だけど人一倍自尊心の強い阿Qという男が、嫌なことが起きる度に、現実の認知を自分に都合良くすり替える「精神的勝利法」を続けてきた結果、無実の罪で処刑されてしまう、という話です。

私にはこの「自分を誤魔化す」阿Qの姿が、ひたすら自分を責めることで、不条理な現実を無理矢理自分に納得させて生きていく富貴と家珍の姿に重なって見えたのです。

魯迅が『阿Q正伝』を書いたのは一九二一年から一九二二年にかけて。まだ共産党が権力を掌握する前の中国です。

つまり、中国人は共産党政権下になってから権力者を恐れ、真実から目をそらし、自らを誤魔化すようになったわけではなく、それ以前からそうした体質を、魯迅に言わせれば「精神の病」を持っていたということなのです。

魯迅が警鐘を鳴らしたこの「病」が、中国共産党に根ざしたものでないなら、その根源はどこにあるのでしょう。

これはあくまでも私の仮説ですが、法律の成り立ちの違いにあるのではないかと考えています。なぜなら、ヨーロッパの法律が、民法を基礎とするローマ法から発展してきたものであるのに対し、中国の法律は、刑法を基礎に発展してきたものだからです。

民法の根源にあるのは、対立する意見を対等な立場でぶつけ合う「議論」ですが、刑法の根源にあるのは、上の立場の者が下の立場の者を罰する「処罰」です。

刑法中心の問題点は、刑罰に対する恐怖心から、人々の関心が、上の者の判断の是非ではなく、自分が処罰の対象とならないためにはどうすればいいのか、というところに向かうところにあります。

その結果、人々は為政者の善悪に目をつむり、無条件で体制に従順であることを選択するようになっていくのです。真実に関係なく、上の者が白と言えば白と言い、黒と言えば黒と言う。

『阿Q正伝』の最後には、こうした中国人の精神状態が見事に記されています。

世論はどうかといえば、むろん未荘では一人の例外もなく、阿Qが悪いとした。銃殺に処せられたのが何よりの証拠、悪くなければ銃殺されるはずがない。

(『阿Q正伝・狂人日記　他十二篇』魯迅/竹内好　訳/岩波文庫)

こうしたものが中国人の体質だと考えると、富貴や家珍の行動や発言も、単なる善良だけではないことが見えてくるような気がします。

ちなみに、映画のラストは穏やかな少し救いのある映像で締めくくられているのですが、原作ではこの後、富貴はさらなる悲劇を経験することになります。それでもただ運命を受け入れて黙々と富貴は生き続けます。

映画とともに、原作の『活きる』をご一読いただくのもいいでしょう。

21／21

Nuovo Cinema Paradiso

『ニュー・シネマ・パラダイス』
好評配信中

ニュー・シネマ・パラダイス

映画が最大の娯楽だった時代

『ニュー・シネマ・パラダイス』は、映画好きの人々の間で、高く評価され続けているイタリア・フランス合作映画です。公開は一九八八年（日本公開は一九八九年）、監督はシチリア島出身のジュゼッペ・トルナトーレ。もともとドキュメンタリー映画の監督として定評のあったトルナトーレの名を、一躍世界に広めたのがこの映画のヒットでした。脚本はトルナトーレ自身によるオリジナルで、彼の半自伝的作品とも言われています。

主人公は、ローマで映画監督として成功を収めたサルヴァトーレ・ディ・ヴィータ。物語は、彼のもとに一つの訃報が届くところから始まります。

亡くなったのは、故郷シチリアでかつて映写技師をしていたアルフレードという人物でした。明日、彼の葬儀が行われるという知らせは、三十年間一度も帰ることのなかったふるさとでの記憶を呼び覚まし、彼の心を震わせるのでした。

サルヴァトーレのふるさとは、イタリア、シチリア島のジャンカルドという小さな村です。第二次世界大戦直後、幼いサルヴァトーレが「トト」という愛称で呼ばれていた当時、この小さな村の人々にとって、唯一の娯楽は教会が運営する小さな映画館「Cinema Paradiso／パラダイス座」で映画を見ることでした。

パラダイス座は連日満員、立見はもちろん、自分で椅子を持ち込んで見る人までいます。現在の完全指定席制に慣れている人たちにとっては驚くべき光景かも知れませんが、シチリア島に限らず、当時の映画館というのはほとんどが早い者勝ちの自由席、立見は当たり前という状態でした。

日本でも昭和二十年代から三十年代にかけての映画館は、どこも連日満席でした。この時代はまだテレビが普及していないので、世界中で映画が最大の娯楽だったからです。『ニュー・シネマ・パラダイス』には、そうした映画館全盛期の名画のワンシーンが、それを見る人々の様子とともに、次々と惜しげもなく登場します。『揺れる大地』(一九四八)、『夏の嵐』(一九五四)、『郵便配達は二度ベルを鳴らす』(一九四三)、『どん底』(一九三六)、『駅馬車』(一九三九)、『風と共に去りぬ』(一九三九)、『街の灯』(一九三一)、『カサブランカ』(一九四二)、『黄金狂時代』(一九二五)等々。イタリア映画はもちろん、フランス映画、ドイツ映画、アメリカ映画など、その数は、四〇本以上にも及びます。

どれも名作映画揃いなので、この時代の映画を見たことがある人なら、「あっ、これはあの映画だ」とすぐわかることでしょう。私もある時期までのイタリア映画は一通り見ているので、『ニュー・シネマ・パラダイス』を見たとき多くの作品の思い出が蘇《よみがえ》りました。

イタリア映画の魅力

現在日本で「洋画」というと、ハリウッド映画がそのほとんどを占めています。もちろんミニシアターなど、大手の映画配給会社の影響の外で独自にいい映画を上映しているところもありますが、仕事をしていると、なかなか足を運べないのが現実です。特に古い映画ともなると上映はまれで、さらにハードルが上がります。

これは今から二十年ぐらい前のことですが、かねてからイタリア映画は凄くいい作品が多いと聞いていたのですが、なかなか見ることができていないことに一念発起した私は、毎週末イタリア映画を見るという「イタリア映画修業」を一年間続けたことがあるのです。

当時はレンタルＤＶＤの最盛期、私の行きつけのショップにもイタリア映画の棚があり、古いモノクロ映画から新作まで見ることができました。

これは私が歴史家だからなのかも知れませんが、ただ漫然と見たのではつまらないので、ちょっとしたルールを課しました。一つは毎週二本ずつ見ること、もう一つは公開年順に見ることでした。おかげで監督同士が影響しあっていることや、撮影の手法などで、この作品はあの映画の影響を受けているといったことがわかってきて、とてもいい勉強になったことを記憶しています。

また、これはイタリアの統一が遅かったことが影響しているのかも知れませんが、どの監督も生まれ故郷や祖先の地など、自らに縁のある土地に対する愛着が非常に強く作品に現れていることもわかりました。

『木靴の樹』（一九七八）で知られるエルマンノ・オルミ監督は北イタリアのベルガモ地方、『ラストタンゴ・イン・パリ』（一九七二）や『ラストエンペラー』（一九八七）で有名なベルナルド・ベルトルッチ監督はパルマ地方、そしてこのジュゼッペ・トルナトーレ監督は、ドキュメンタリー映画を多く手がけていた頃から一貫してシチリアを舞台とした作品を撮り続けています。

イタリア映画にはハリウッド映画のような派手さはありませんが、「人間」や「社会問題」を丁寧に掘り下げながらも、適度なユーモアを交えることで、重すぎない形に仕上げている作品が多いように思います。

本書では、本作を含め三本のイタリア映画を紹介していますが、どれも描き方によっては重くなりがちなテーマを、後味の良い作品に昇華させているのは、やはりイタリア人特有の卓越したユーモアセンスの賜《たまもの》と言えるでしょう。

昔は危険物だった映画フィルム

トトは映画が大好きで、毎日のように母親の目を盗んではパラダイス座に通っていました。ただ、トトが他の子と少し違っていたのは、彼が映画だけでなく、それを映し出す映写室に強く魅せられていたことでした。映写技師のアルフレードは、何度叱っても追い払っても懲りずに映写室に忍び込んでくるトトを、迷惑がりながらも愛していました。

トトのお目当ての一つは、映写室に散らばっていた「カットされた映画フィルム」でした。

パラダイス座は教会が運営する映画館だったため、上映前に神父が検閲を行う取り決めになっていて、キスシーンなど神父が「不適切」と判断した部分はカットしなければならなかったのです。映写室にはアルフレードがカットした大量のキスシーンのフィルムが、無造作に溜められていたのです。

トトはそのフィルムが欲しくて仕方ないのですが、アルフレードはフィルムは危険だからと、持ち帰ることを許しません。それでも最後には、「このフィルムはお前にやる、だが、管理は俺がする」とフィルムをトトにあげることを約束します。

でも、我慢し切れないトトは、アルフレードの目を盗んではポケットにフィルムを入れて持ち帰ってしまうのでした。

そんなある日、事件が起きます。トトが持ち帰ってベッドの下に隠しておいたフィルムが自然発火し、危うく妹が大火傷を負いそうになったのです。母がすぐに気がついたので大事にならずに済みますが、トトはそのとき初めてアルフレードが言っていた「危険だから」という言葉の意味を実感します。

十歳で映写技師になったアルフレードは、小学校もまともに卒業していない無学な男でした。トトが学校でテストを受けていると、小学校の卒業資格試験を受けに数人の大人が入ってきました。その中にはアルフレードもいました。

テストに苦戦したアルフレードは、トトに答えを見せてくれるよう頼みます。トトはじらしながらも答えを教え、その見返りに映写機の使い方をアルフレードに教えてくれるよう頼みます。

こうして、戦争に行ったまま父親が戻らないトトと、子供に恵まれなかったアルフレードの間には、やがて、時には親子のような、時には師弟のような「友情」が培《つちか》われていったのでした。

アルフレードは無学な男ですが、何百回、何千回とさまざまな映画を見続けてきたことで、彼なりの人生哲学を持っていました。そして、自分を慕い映写室に通い続けるトトに

「お前は賢い、俺のようになってはいけない」と言うのでした。

そんなある日、パラダイス座でフィルム火災が起きてしまいます。アルフレードは炎に巻かれ、トトの必死の救助で一命を得たものの視力を失ってしまいます。

トトの家での自然発火に、上映中のフィルム火災、不燃性フィルムが普及する一九五〇年代まで、映画には非常に発火しやすい「ナイトレートフィルム」が使われていたのです。

映画が作られるようになったのは一八八〇年代、当時の映画が抱えていた問題を解決する画期的なフィルムが一八八九年にイーストマン・コダック社から発売されました。映画は、フィルムに焼き付けられた静止画が、映写機のスプロケットという歯車のような装置とフィルムの両サイドに空いた穴がかみ合い回転していくことで動く映像としてスクリーンに映し出されます。ところが、当初はフィルムの強度が弱く、映写しているうちにスプロケットの回転にフィルムが耐えられなくなることが多々あったのです。

この問題を解決したのが、ナイトレートフィルムでした。ただ、セルロースを使用したこのフィルムは、強度は申し分なく強かったのですが、致命的な欠点がありました。それは、セルロースを硝酸と硫酸の混酸で処理して作られていたため、着火すると非常に燃えやすいということでした。しかも、一度火がつくと水でも消すことができず、大火災に発展しやすいという危険なものだったのです。

上映中の火災でパラダイス座が焼失してしまいますが、こうした上映中の火事も現実に何度も起きているのです。中でも有名なのは、一八九七年五月四日にパリの慈善団体のバザー会場で起きたフィルム火災です。この火災では、上映中のフィルム発火が原因で、死者一八〇名という多数の犠牲者が出ています。

またその翌年に、ロンドンのスタフォードでも同様の火災が発生したことで、火災の発生防止を目指し、安全規則をクリアした興業者にのみライセンスを認める映画法が、一九〇九年に制定されたのです。しかし、これでフィルム火災が撲滅されたのかというと、残念ながらそうはいきませんでした。その後も一九五〇年代に不燃性フィルムが普及するまで映画館での火災は世界中で繰り返し起きました。

ちなみに現在の映画館では、フィルム火災が起きる心配はまずありません。なぜなら、フィルムを映写機で投影する方式で上映しているところは、もうほとんどないからです。

現在の映画は、デジタルデータをプロジェクターに入力して投映するＤＣＰ（デジタル・シネマ・パッケージ）という方式が採用されており、日本でも通常の映画館はすべてＤＣＰ方式に移行されています。

デジタルは映像も音声もクリアで、昔のフィルム映画のように画面のピントがずれたり、フィルムの劣化によって画質が荒れることもありません。それはそれで素晴らしいことなのですが、映写室に忍び込んでも、もうそこには映写技師がいないというのは、私のようなオールドファンには、少し寂しく感じられます。

イタリア南北問題

火災の後パラダイス座は、たまたま火事の前に宝くじを当てていたスパッカフィーコというナポリ人の男によって再建されます。「新パラダイス座／Nuovo Cinema Paradiso」は、教会の手を離れたことで、キスシーンのカットもなくなり、以前にも増して活況を呈します。

そこで映写技師を務めたのは、アルフレードに映写方法を教えてもらっていたトトでした。もちろんまだ小学生なので、表向きには支配人のスパッカフィーコがライセンスを取得しますが、映写技術は持っていないので、トトが実務を担うことになったのです。また、この頃から不燃フィルムが使われるようになり、火災の心配もなくなります。

その頃には父の戦死も確定していたため、トトが映写技師として働くことは、家計を支える上で家族にとってもありがたいことだったのです。

そんな中でもアルフレードは、映写技師の仕事が忙しく、学校をサボりがちになるトトに、学校だけは頑張って続けるよう言うのでした。

新パラダイス座で映写技師をしながら学校へも通い続けたトトは、やがて立派な青年になり、自らカメラを回すようになります。

そんなある日、カメラが捉えた美しい女性にトトは恋をします。彼女の名はエレナ、北イタリアから転校してきた、裕福な銀行家の娘でした。エレナの部屋の窓下に毎晩立ち続け、トトはついに彼女のハートを射止めることに成功します。二人は幸せな青春を謳歌しますが、やがて彼女はパレルモの大学へ、トトも兵役でローマに行くことになります。離ればなれになる前夜、二人は映写室で会う約束をしますが、なぜかエレナは姿を見せず、手紙も宛先不明で戻ってきてしまうようになります。

兵役を終えシチリアに戻ったトトに、アルフレードはシチリアを出て帰ってくるなと言います。そして、「人生はお前が見た映画とは違う。人生はもっと厳しいものだ」と忠告するのでした。

なぜアルフレードは、執拗にシチリアの外へ出るように言うのか、映画の中では語られてはいません。でも、一つの台詞が当時のシチリアの厳しい現実を物語っています。

それは、ナポリ人のスパッカフィーコが宝くじに当選したときのある村人の台詞です。

「北部の奴は運がいいなぁ」

ナポリというのは、ローマより二二〇キロメートル以上も南西に位置した街です。つまりイタリア全体で言えばかなり南に位置しているのですが、シチリアの人々からすれば「北部」と思われていたということです。

この「北部」という言葉に象徴されているのが、「イタリアの南北問題」と言われる経済格差です。かつては文明の十字路としてイタリア・ルネサンスを牽引したシチリア島も、次第にその輝きを失っていきます。

南北格差の広がりは、十九世紀初頭から拡大していきます。北部のサルディーニャ王国が自由貿易政策のもと、民間資本を活用し工業化に成功したのに対し、南部のブルボン王国は旧来の保護貿易で、官営工場が主体であり工業化が遅れていました。そうしたもともと地域格差があったところが、イタリア統一運動（リソルジメント）によって統一されたことで、結果的に南部の安い労働力が北部に流出し、北部の発展がより推し進められ、格差が拡大していったのです。

さらに悪いことに、十九世紀は地中海一帯の乾燥化が進んでいるのです、これは「砂漠化」と言っても過言ではないほどの極度の乾燥でした。かつてシチリア島の豊かさを支えていた豊富な農作物は、この乾燥化によって大きな痛手を受けてしまったのです。

地元の主力産業である農業が痛手を被ったことで、才能ある人々は島を離れ北部の都市へ行くことが唯一の身を立てる手段となっていたのです。

トトの中に賢さを見出していたアルフレードは、そのことを痛感していたので、トトがこの小さな村に縛られて生きることを危惧したのでしょう。「一度村を出たら帰ってくるな。もうお前とは話をしない。俺はお前の噂を聞きたいんだ」と、アルフレードは厳しい言葉でトトに島とも自分とも決別することを促します。

劇場公開版と完全オリジナル版

アルフレードに促されてシチリアを離れたサルヴァトーレ（トト）は、ローマで映画監督として成功します。しかし、何人もの恋人と浮名を流しても、心から愛する女性とは巡り会えず、五十歳近くになっても独身のまま、飛行機でわずか一時間の距離にもかかわらず、三十年間ふるさとの母にも妹にも会っていないのです。

アルフレードの葬儀に参列するため三十年振りに帰った故郷でサルヴァトーレが目にしたのは、六年前にすでに斜陽によって閉館した、解体目前の新パラダイス座でした。支配人の許しを得て中を見て回るサルヴァトーレ。幼い頃のアルフレードとの思い出も、エレナとの初恋も、シチリアでの思い出のすべてがそこには詰まっていました。

葬儀の後、サルヴァトーレは、アルフレードが妻に託したトトへの形見のフィルムを受け取りローマに戻ります。

映画は、サルヴァトーレが試写室で、その形見のフィルムを見るところで終わるのですが、フィルムに何が映っていたのかは、まだこの映画を見ていない人のために語らないでおきましょう。

実は、『ニュー・シネマ・パラダイス』には、三つのバージョンが存在しています。一つはイタリアで最初に公開されたときの一五五分の「オリジナル版」。二つ目は、日本など多くの国で劇場公開されたときの一二三分の「インターナショナル版」。三つ目は、二〇〇二年に公開された一七三分の「完全オリジナル版」です。

実はこの映画、イタリア公開当初はあまり興行成績が振るわなかったのです。そこで、いくつかのシーンを大幅にカットし、インターナショナル版として公開したところ大ヒットしたのです。

現在日本で見ることができるのは、インターナショナル版と最も長い完全オリジナル版の二種類。五十分もの違いはどこにあるのかというと、最大の違いはシチリア島に戻ったサルヴァトーレがエレナと再会し、インターナショナル版ではわからないまま終わる、なぜ彼女と連絡がつかなくなってしまったのか、という謎が解明される部分なのです。

どちらのバージョンが好きかは、個人差があると思いますが、私はインターナショナル版のほうがこの世の真実に近い気がして好みでした。

人生というのは、よく考えてみると、物事の展開なんてわからないことのほうが多いものです。人がしゃべることが、すべてそのまま真実だとも限りません。ある部分を語り、ある部分を語らないのが現実だからです。

ですから、人との出会いや別れには、その事実の背景に、本人が知り得ないカットされた部分があるものだと思うのです。

そういう意味では、エレナとの再会は、私としては少し「タネあかしのし過ぎ」のような気がするのです。人生なんて、自分以外のことは全部知ることなどできないのですから。

それでも、この映画のラストシーンが素晴らしいのは、直接には語らなかったアルフレードのトトへの愛が真実として見るものの胸に迫るからなのだと思います。

映画史上最も美しいラストシーンと言われる『ニュー・シネマ・パラダイス』のラスト。どんなフィルムをアルフレードはトトに残したのか、ぜひご自分の目で確かめてみてください。

おわりに

教養といえば、何よりも古典と歴史というのが私の持論です。が、古典は文字の書物だけではないのではないか、とは昨今しみじみと感じています。とくに視覚に訴える映像作品は強く心に響くものがあり、その感動はまさしく古典とよんでいいのではないだろうかと思うことがあります。

第二次大戦直後に生まれた世代にとって、娯楽といえば、まず映画でした。テレビがまだ普及していなかったから、映画館で観る活動写真が何はともあれ楽しみでした。封切り映画を映画館で目にするのだから、それはとてつもなく新鮮な香りがしました。

やがて、一九六〇年頃には『ベン・ハー』などの七〇ミリとよばれた大画面の巨編も登場し、その規模の大きさと迫力の凄さに圧倒されそうになる時代がつづきました。しかも、それらの映画の中にはまさしく名作とよんでいい感動作も少なくないのです。時代として語れば、ほぼ二十世紀後半に世に出た作品です。

それを思えば、気になることも出てきます。これらの名作映画は昭和末期（一九八〇年代）以降に生まれた若い世代にはどれほど観られているのでしょうか、これが本書執筆の発端でした。それとともに、これらの名作映画を観れば、世代を超えて話題にすることができるのです。本としての古典ばかりでなく、映画としての古典もあってもいいのではないでしょうか。もはや高齢者といわれようが、映画が最も華々しく輝いていた時代を体験した世代からすれば、名作映画の紹介は一つの義務であるかもしれません。

「名作」映画の選定については、筆者の希望を最優先にしてもらいましたが、編集部や編集協力者のご意見にも耳を傾けたところもあります。もちろん「古典」とか「名作」といえば、必ずしも本書でとりあげたものにかぎらないでしょう。映画愛好者によって、相異なる「古典」や「名作」があってもよいのです。ここでは、ひとまず一つの試みとして、歴史と関連させながら語らせてもらったことを幸運としたいと思います。

本村凌二

二〇二三年十二月

著者略歴

本村凌二（もとむら　りょうじ）

東京大学名誉教授。博士（文学）。1947年、熊本県生まれ。1973年、一橋大学社会学部卒業。1980年、東京大学大学院人文科学研究科博士課程満期退学。東京大学教養学部教授、同大学院総合文化研究科教授などを経て、早稲田大学国際教養学部特任教授を2018年３月末に退職。専門は古代ローマ史。『薄闇のローマ世界』でサントリー学芸賞、『馬の世界史』でＪＲＡ賞馬事文化賞、一連の業績にて地中海学会賞を受賞。

著書に『地中海世界とローマ帝国』『愛欲のローマ史』（以上、講談社学術文庫）、『裕次郎』（講談社）、『多神教と一神教』（岩波新書）、『ローマ帝国 人物列伝』（祥伝社新書）、『競馬の世界史』『世界史の叡智』（以上、中公新書）、『独裁の世界史』（ＮＨＫ出版新書）、『教養としての「世界史」の読み方』『教養としての「ローマ史」の読み方』『20の古典で読み解く世界史』（以上、ＰＨＰエディターズ・グループ）などがある。

カバーイラスト：Adobe Stock
装幀：西垂水敦・市川さつき（krran）
DTP：システムタンク
編集協力：板垣晴己

名作映画で読み解く世界史

2023年12月26日　第１版第１刷発行

著　者　本村凌二
発行者　岡　修平
発行所　株式会社ＰＨＰエディターズ・グループ
〒135-0061　江東区豊洲5-6-52
☎03-6204-2931
https://www.peg.co.jp/
発売元　株式会社ＰＨＰ研究所
東京本部　〒135-8137　江東区豊洲5-6-52
普及部　☎03-3520-9630
京都本部　〒601-8411　京都市南区西九条北ノ内町11
PHP INTERFACE　https://www.php.co.jp/
印刷所
製本所　図書印刷株式会社

ISBN978-4-569-85540-0